Du cyan plein les mains

ANDRÉ MAROIS

Du cyan
plein les mains

Nouvelles noires

la courte échelle

Les éditions de la courte échelle inc.
5243, boul. Saint-Laurent
Montréal (Québec) H2T 1S4

Directrice littéraire :
Annie Langlois

Révision :
Sophie Sainte-Marie

Conception graphique de la couverture :
Elastik

Mise en pages :
Pige communication

Dépôt légal, 2e trimestre 2006
Bibliothèque nationale du Québec

La courte échelle reconnaît l'aide financière du gouvernement du Canada par l'entremise du Programme d'aide au développement de l'industrie de l'édition pour ses activités d'édition. La courte échelle est aussi inscrite au programme de subvention globale du Conseil des Arts du Canada et reçoit l'appui du gouvernement du Québec par l'intermédiaire de la SODEC.

La courte échelle bénéficie également du Programme de crédit d'impôt pour l'édition de livres — Gestion SODEC — du gouvernement du Québec.

Catalogage avant publication de Bibliothèque et Archives Canada

Marois, André

    Du cyan plein les mains

    (Roman adulte ; RA44)

    ISBN 2-89021-852-X

    I. Titre. II. Collection.

    PS8576.A742D82 2006   C843'.54   C2005-942317-X
    PS9576.A742D82 2006

Imprimé au Canada

À Lyne

*Il me fallait élaborer une riposte-éclair
et puisque je n'avais plus d'arme à dégainer,
vider mon chargeur dialectique
sur cet inconnu dressé entre le jour et moi.*

HUBERT AQUIN

Prochain épisode

Pourquoi ce titre?

La nouvelle qui donne son nom à ce recueil possède sa propre histoire. J'ai d'abord publié *Du cyan plein les mains* en 2001 sur mon site personnel www.andremarois.com. Elle raconte la soudaine rage d'un graphiste qui décide de châtier tous ses confrères qu'il considère comme coupables de réaliser des choses laides (le cyan, de CMYK (ou CJMN) est une des quatre couleurs fondamentales en imprimerie avec le jaune, le magenta et le noir).

Ayant décidé d'offrir régulièrement un inédit à mes visiteurs, je commençai donc par celui-ci et en avertis le magazine spécialisé en publicité au Québec, *Infopresse*, qui s'empressa de diffuser la nouvelle dans sa lettre d'information quotidienne en annonçant «La vengeance d'André Marois».

Le résultat me dépassa. En deux semaines, plus de trois mille visiteurs vinrent lire ou télécharger ma courte fiction sur ce nouveau site d'auteur quasi inconnu. Les médias reprirent l'information, on commenta l'histoire dans des journaux et dans des blogues à Montréal, à Hull et à Toronto. Des dizaines de designers et de publicitaires m'écrivirent pour saluer mon initiative. Cela provoqua même l'attention des médias de France, et je réalisai une entrevue pour l'émission *Culture Pub* sur M6, qui permit à ma famille de me voir raconter ma démarche sur le petit écran hexagonal. J'étais stupéfait.

Encore récemment, comme pour les pétitions désuètes qui n'arrêtent jamais de circuler, un ami m'a rapporté qu'on venait de lui envoyer *Du cyan plein les mains* en pièce jointe par courriel.

Cette aventure prouve bien que la longueur de l'histoire n'a rien à voir avec son impact. Elle milite, si besoin était, pour la cause des nouvelles. Et elle démontre combien Internet est un outil fabuleux pour démultiplier la portée d'une fiction et l'apporter, ici gratuitement, dans des milliers d'ordinateurs.

Avec ce récit en ligne, on s'intéressa plus à moi qu'avec mes romans. Peut-être celui-ci est-il meilleur que ceux-là, ou alors le thème exploité a-t-il touché sa cible en plein cœur, je ne sais trop.

Depuis, je continue à proposer des inédits sur mon site. Ce sont eux qui constituent ce recueil, ainsi que des textes écrits pour deux revues de littérature noire (*Alibis* au Québec et *L'Ours Polar* en France), pour le magazine montréalais *Urbania*, pour la revue littéraire *Mœbius* et pour un collectif dénonçant le racisme, *Boucs émissaires*.

Ces dix-huit nouvelles ont été retravaillées avant d'être réunies. Elles ont en commun un héros surtout masculin, solitaire et urbain, révolté ou désabusé, tendre ou violent. Il n'est jamais le même, mais tous se ressemblent. Les actions sont contemporaines (la nostalgie n'est pas mon fort). L'humain est souvent faible et pris au dépourvu face à l'inattendu. La mort rôde deux fois plutôt qu'une. L'humour se faufile tant bien que mal entre le sordide et l'ennui.

Bonne lecture.

Vancouver, le 27 août 2005

Du cyan plein les mains

Ça a commencé hier matin. En sortant du métro, j'ai vu cette immense affiche avec Minette Peugeot qui ricane. Le titre *Y a de quoi de bon chez Mac's* m'a hurlé sa nullité au visage. J'ai relu la phrase plusieurs fois, essayant de me convaincre que c'était une blague au cinquième degré, du quétaine maîtrisé. Mais la laideur de la typographie et de la mise en page utilisées pour mettre en avant les mots du langage néo-oral m'a convaincu que les auteurs de cette publicité manquaient autant d'humour que de talent. Ils méritaient une bonne correction.

J'ai repris le métro. Je suis retourné chez moi.

Il faut me comprendre. Je suis designer graphique depuis huit ans. On m'a appris à l'école à différencier le quelconque du recherché. On m'a inoculé le virus de l'équilibre visuel, de la composition et des nuances. On m'a enseigné comment déjouer les pièges de la facilité. Depuis, je suis prêt à me battre pour défendre une image. Il s'agit d'une lutte sans merci contre les forces du mal représenté. J'ai déjà perdu plusieurs contrats pour cause de mésentente picturale. Rien ne sort de mon ordinateur qui n'ait été travaillé jusqu'aux ultimes secondes avant l'heure de remise. Et quand mes clients semblent satisfaits, je les soupçonne de vouloir gagner du temps. J'estime que c'est mon devoir moral de livrer du beau. Je suis payé pour ça.

Je n'agis pas par prétention, je considère que c'est la moindre des choses.

Alors je reste ahuri devant les réalisations qui nous entourent. À quoi bon tenter de faire dans le soigné quand on se retrouve noyé dans un océan de mauvais goût ? J'ai souvent failli baisser les bras, voulu devenir facteur ou palefrenier. On m'a dit que les clients étaient les coupables, que c'était la faute des délais, du manque de budget, de la censure et de je ne sais quoi encore. Foutaises ! Les coupables sont les directeurs artistiques et les graphistes de seconde zone. Ils ont tous reçu la même formation que moi, mais ils se sont empressés de l'oublier dès leur sortie de l'université. Ces veules doivent être châtiés.

Dans ma cave m'attendait mon vieux fusil à pompe, graissé et chargé, frétillant d'impatience. Je l'entretenais avec amour, en espérant j'ignore quel grand soir. Ce serait plutôt le grand matin.

Je connaissais les auteurs de cette obscénité qui m'avait dégoûté une demi-heure plus tôt. Chacun a travaillé avec tout le monde dans l'industrie de la communication, ou bien on s'est côtoyés dans un de ces innombrables galas et autres cinq à sept arrosés aux petites bulles.

Les deux responsables de ce crime de lèse-esthétique sévissaient dans une agence installée au cœur du Vieux-Montréal. Grassement payés pour leur incompétence, ils polluaient le paysage de leur production depuis une dizaine d'années.

Quand je suis arrivé au septième étage, la porte de l'ascenseur s'est ouverte sur une réception ornée de trophées récoltés dans les concours. Il ne manquait que la tête d'orignal sur le capot de la Porsche du grand patron. Une charmante demoiselle tentait de se désennuyer en lisant *Le Journal de Montréal.*

— Je viens rencontrer Alain Paul et Bernard Falaise.

— Vous avez rendez-vous ?

— Non, je suis journaliste au magazine *Archive* et de passage à Montréal pour quelques heures. Je ne voulais pas repartir sans qu'ils m'accordent une entrevue à propos de leur extraordinaire travail.

Aucun créatif digne de ce nom ne résiste aux appels de la reconnaissance internationale. Chacun est convaincu qu'il mérite de faire la une des revues professionnelles.

La jeune et jolie personne devant moi a bredouillé quelques mots dans l'interphone, puis m'a décoché un sourire blasé. Alain et Bernard devaient déjà transpirer tels des taureaux en rut à la seule idée de me toucher la main.

— Ils arrivent dans une minute, monsieur...

— Je connais le chemin, ai-je menti.

Et sans attendre, j'ai poussé la porte vitrée qui me séparait du sacro-saint lieu de la créativité. J'ai surgi dans leur bureau, alors qu'ils tentaient de dissimuler une pile de maquettes d'annonces dont le hideux ne le disputait qu'à l'insipidité. J'ai armé mon fusil dissimulé sous mon imperméable.

— Tiens, Bob ! Qu'est-ce que tu fais là ? Excusenous, il y a un gars d'*Archive* qui veut absolument nous rencontrer.

Alain, le rédacteur du duo, m'a lancé ça sur un ton qui se voulait désinvolte, en prononçant « Arkhaill'veu ». Le sot.

Je lui ai balancé la première décharge en pleine face. Le sang a giclé sur un projet de pub pour Vidéocon où le logo occupait un quart de l'espace. Avant que Falaise ait remis en marche ce qui lui servait de cerveau, j'ai réarmé et je lui ai lâché ma deuxième salve dans le ventre. Il s'est écroulé en glapissant. Je l'ai achevé en visant le cœur et en hurlant :

— À MORT LE LAID !

Je suis reparti aussi sec. Ça couinait dans tous les couloirs. J'ai profité de la confusion pour me glisser dehors.

Je me sentais terriblement bien.

Le laid, au contraire du beau, est une notion innée. Une annonce hideuse à Caracas le sera autant à Londres ou à Toulouse. Un esprit sous-développé pourra vouloir défendre le laid, mais jamais il ne réussira à rallier la majorité à sa cause. À l'opposé, un tableau de Renoir, un logo de Raymond Loewy ou une affiche de Savignac créeront l'unanimité. Le danger réside dans le manque d'éducation de notre regard. À force de subir des atrocités, on finit par se pâmer devant la première nullité un peu moins pire que les précédentes. D'où mon action salvatrice.

J'ai marché en respirant à fond. Enfin, je venais d'accomplir un geste concret pour abolir la laideur de notre quotidien. J'avais même attendu trop longtemps avant de passer à l'action. Que de temps perdu.

Ma mission était juste. Il fallait que je la poursuive. J'ai levé les yeux et j'ai vu un panneau vantant les mérites de la Molson X. Là encore, mon instinct de graphiste a eu un haut-le-cœur. Une photo affreuse tenait lieu de visuel, avec une accroche publicitaire inscrite en réserve, chaque mot plus croche que le précédent. Quant au choix du caractère typographique, il dénotait un manque flagrant de culture esthétique, voire de culture tout court. Une pièce à verser au dossier de l'anti-beauté appliquée. Un point noir atroce qui agressait mes rétines sensibles. J'ai serré la crosse de mon fusil. Il me restait des munitions, et je n'avais pas envie de les rapporter à la maison.

J'ai hélé un taxi, direction la plus grosse agence de Montréal, du Québec, voire du Canada. Celle-là avait encore moins d'excuse que la précédente.

J'ai débarqué en affirmant cette fois-ci pratiquer la terrible profession de chasseur de têtes new-yorkais. Les publicitaires sont des frustrés qui croient fermement qu'ils gaspillent leur talent là où ils œuvrent. Ils n'auront jamais les couilles de s'exiler et ils continuent d'affirmer qu'un jour ils feront le grand saut.

— Ils arrivent, monsieur...

— *My name is Mr Net.*

J'étais devenu le nettoyeur du design. Celui qui supprime les taches les plus tenaces.

Deux gars sont bientôt apparus, crânes rasés de frais, baskets *logotypés*, l'air *cool*. Caricatures sur deux pattes, ils cherchaient l'Américain qui les chasse. Leurs regards ont glissé sur moi sans me remarquer. Erreur fatale.

J'ai armé, j'ai tiré, j'ai troué. Deux fois de suite, pas une de plus. La journée n'étant pas finie, je devais économiser mes cartouches. J'ai hurlé mon « À MORT LE LAID » et je les ai laissés s'éteindre dans une mare d'hémoglobine somme toute assez réussie au niveau de la composition. On rencontre parfois la joliesse à des places insoupçonnées.

Dehors, il faisait beau. J'ai profité de l'effet de surprise pour rejoindre une agence concurrente. Je suis monté directement à l'étage où je trouverais un gars avec le typique profil de victime. Je le détestais depuis la nuit des temps à cause de ses mauvais choix d'illustrateurs. Il n'employait que ses copains, ce qui n'aurait pas été un problème en soi si les amis en question avaient possédé une once de talent. Au contraire, il encourageait la médiocrité d'une poignée de nuls qui lui rendaient la pareille en le flattant et en l'invitant aux vernissages de leurs rétrospectives subventionnées. On voit pousser vraiment n'importe quoi sur du fumier. Je lui ai logé trois projectiles dans la tête, histoire de lui apprendre les bonnes manières. J'ai hurlé mon slogan avant de quitter cette zone sinistrée en sifflotant.

Des sirènes ont retenti. Je me suis engouffré dans un immeuble et suis ressorti dans une rue parallèle pour rejoindre le Musée des beaux-arts. J'avais besoin d'un peu de couleurs harmonieuses afin de me réconcilier avec l'existence.

J'ai erré au hasard des expositions, soignant mon mal par la contemplation d'un Matisse ou d'un Degas. L'art est un baume. L'art appliqué peut devenir une plaie.

Ainsi remis d'aplomb, j'ai décidé de frapper un grand coup. Qui nous inflige à longueur d'année des annonces plus lamentables les unes que les autres ? Qui nous traite en enfants dégénérés ? Qui nous vomit ses trente secondes ineptes et abjectes trois fois de suite en moins d'une heure ?

Glauque et Madelinot.

Leurs pubs sont révoltantes. Des concepts écrits par des individus de huit ans d'âge mental. Des images honteusement bâclées, avec des surimpressions atroces. Bref, une provocation pour quelqu'un dans mon genre, qui a déjà refusé de mettre un prix en gras afin de respecter l'équilibre d'un plan qui durait moins d'un quart de seconde (encore un client de perdu).

Je me suis mis à courir dans la rue. Je rageais. Personne n'avait jamais osé revendiquer la paternité de ces messages publicitaires. Il fallait donc que je frappe dans le symbole : un magasin de cette chaîne de meubles. J'ai ralenti l'allure et sauté dans un autre taxi. Taïaut !

À la radio, on ne parlait que de moi : un tueur en série qui aurait pris les créatifs pour cible. On m'avait bien sûr reconnu, on fouillait mon passé, on interrogeait mon chat, on disséquait le contenu de mes cendriers. Mon domicile était plus surveillé que le bunker de Mom Boucher. La totalité des agences de pub et de promo, des boîtes de design et de relations publiques avaient fermé leurs bureaux. Alerte générale, le terroriste anti-disgrâce se terrait quelque part en ville, la bave aux lèvres et la charte des couleurs Pantone en bandoulière.

Tant pis pour eux, j'allais surgir là où ils ne m'attendaient pas.

Quand j'ai débarqué en face du magasin, des affiches criardes avec des offres immondes m'ont sauté au visage. Le souffle m'a manqué un bref instant. Les teintes étaient atroces. Aucune des lois typographiques n'avait été respectée : lettres trop espacées, interlignes irréguliers, assemblage aléatoire. J'ai préféré ne pas insister sur le détail. Je me suis précipité dans ce temple de la quintessence de l'affreux.

À l'intérieur, j'ai avisé un gigantesque mur de téléviseurs. Inutile de chercher plus loin. J'ai expédié deux projectiles dans l'ensemble, et les postes ont commencé à exploser les uns après les autres. Quand la première affichette a enfin pris feu, j'ai hurlé à la face d'un chef de rayon tétanisé :

— À MORT LE LAID !

Je me suis enfui au volant d'une camionnette que ses propriétaires effrayés avaient abandonnée devant l'entrée.

J'ai roulé au hasard, pour me retrouver au sommet du mont Royal. Je ne pouvais pas retourner chez moi, j'étais seul. Unique pourfendeur de l'infiniment dégénéré. Il fallait que j'en finisse de manière exemplaire.

Mais je ne pouvais ainsi continuer sans revendiquer mes actes. Je ne m'appelle pas Ben Laden. Je voulais assumer mon extrémisme graphique. J'allais donc rédiger un communiqué bien senti et l'expédier aux organes de presse de la planète entière.

Le peuple devait prendre conscience de la misère graphique dans laquelle on le maintenait depuis si longtemps.

C'est là que je me suis senti piégé. Je ne pouvais pas bâcler ça en expédiant un vulgaire courriel sans mise en page digne de ce nom. Je me devais de réaliser un document dont la forme refléterait le fond. C'est ça, le design, et rien d'autre. On ne transgresse les règles que si on les connaît sur le bout des doigts. À partir de là, on arrive à transcender le classique, à oser, à inventer avec brio, parfois avec génie. Il me fallait donc accéder à un ordinateur et à une imprimante de qualité. Où me diriger pour être en lieu sûr ? Mes contacts dans le milieu devaient se trouver sur écoute.

J'ai laissé mon regard errer sur l'horizon et je l'ai vu, immense et tranquille, véritable Mecque du désordre architectural, repaire provincial du kitsch dégoulinant :

le boulevard Taschereau. Personne ne penserait me chercher au milieu de cet éden de la sous-consommation nord-américaine. J'étais certain d'y dénicher une boutique de photocopies avec un iMac rose bonbon.

J'ai troqué ma camionnette volée contre une vieille Ford Escort noire et rouillée. Enfermé dans l'habitacle de cette voiture dessinée par un ordinateur sénile, je savais que personne ne me regarderait. J'étais soudain invisible, ainsi que ces affiches si mal foutues que pas un quidam ne les remarque. Je me suis souvenu d'un directeur marketing qui jugeait mes maquettes trop créatives. Comment peut-on reprocher à un publicitaire d'être trop créatif? Ce crétin était trop stupide pour comprendre. Il n'avait dû son salut qu'à ses deux cents livres de muscles. Je suis un esthète sans biceps.

Une fois sur le célèbre boulevard de la Rive-Sud, j'ai vite repéré l'endroit que je cherchais. Ça s'appelait Copy 3000, et j'étais le seul client à vouloir pianoter sur un clavier à cette heure de la journée. J'ai tapé mon titre, saisi la souris récalcitrante et me suis mis au travail. Mes forces me sont revenues instantanément. L'instinct artistique, j'imagine.

Ça m'a pris cinq heures pour mettre au point ma page. J'avais choisi du Helvetica pour ne pas trop typer mon message dans le temps. En jouant avec les lignes et en important des symboles que j'avais glissés en trame de fond, j'avais réussi à composer un ensemble à la fois sobre et équilibré, puissant et singulier. J'en ai imprimé une dizaine en maudissant la machine qui faisait monter le cyan beaucoup trop fort. Ça maculait mes doigts, mais je devais distribuer mon message avant vingt-deux heures pour qu'il saute à la face du monde dans les quotidiens du lendemain.

J'ai abandonné la Ford sous le pont Jacques-Cartier et j'ai effectué ma tournée des journaux en empruntant les transports en commun. Partout, des affiches pour des condoms, des écoles de commerce, des radios, des émissions de télévision, des supermarchés, des films, des *fast-foods*, des ministères, des loteries, du casino de Montréal et j'en passe, et des pires. Chaque nouvelle apparition me confortait dans le bien-fondé de ma croisade. Mon pas devenait plus ferme en même temps que ma vision se salissait de ces ordures en quatre couleurs *process*.

J'ai réussi à larguer mes messages sans qu'on me pince.

Plus tard, je me suis alcoolisé dans une taverne sans nom dans une rue sans lumière dans l'est de l'île. J'ai loué une chambre dans un hôtel sans confort. J'avais hâte au lendemain.

Une escouade de flics en armes m'a cueilli à l'aube. Ils m'ont sorti du lit *manu militari* et m'ont traîné dans le couloir jusqu'à une voiture aux vitres grillagées. Sans un mot, ils m'ont emmené jusqu'à leur chef qui m'attendait dans un grand bureau dont les murs avaient jadis été blancs. Ils m'ont flanqué sur une chaise et le gradé m'a mis le *Montréal Express* du matin sous le nez.

— C'est toi qui as écrit ça, le *smatte* ?

J'ai failli vomir.

Mon beau communiqué s'étalait en première page, mais si mal imprimé ! Les couleurs n'existaient plus, remplacées par un noir et blanc qui ne méritait pas de s'appeler ainsi. Le rendu final s'apparentait à un grisâtre général avec, çà et là, des taches d'encre telles des crottes étoilées. Un gâchis total, un sabotage éhonté, un coup de couteau dans le dos. Ils avaient même osé recadrer le format pour l'adapter à leur foutue mise en page. Ces abrutis ne respectaient donc rien ?

Je ne pouvais détacher mes yeux de cette atrocité.

— Hé ! l'artiste, t'as avalé ta langue ?

J'aurais dû m'en souvenir : ne jamais confier de documents imprimés à *Montréal Express.*

Le policier m'a secoué, mais je ne réagissais déjà plus. J'avais perdu mon combat. J'avais été réduit à merci par une conspiration d'imprimeurs véreux, de graphistes fourbes et de directeurs artistiques cupides.

La laideur humaine m'avait terrassé sans pitié. J'ai fermé mes paupières pour ne plus jamais les rouvrir.

Le vrai du faux

Il était presque vingt-deux heures et je mangeais un sandwich dans une de ces BCR — boulangerie-café-restaurant — qui fleurissent sur l'avenue du Mont-Royal. C'est un concept de commerce assez bâtard où l'on peut acheter du pain pour emporter, manger une soupe sur place, boire un café, lire le journal et aussi fumer une cigarette, ce qui devient si rare de nos jours à Montréal.

La serveuse, jolie étudiante aux cheveux noirs, finissait de ranger la salle, plaçant les chaises sur les tables, nettoyant le sol en prévision de la fermeture imminente. Elle avait verrouillé la porte d'un coup sec, signifiant ainsi qu'il était temps de déguerpir dans un délai assez bref. Étant le seul client du lieu, je ne pouvais que me sentir visé.

Je continuais à mastiquer avec flegme mon FJT — fromage-jambon-tomate —, décidé à ne rien avaler de travers. J'avais lu la veille dans un journal gratuit distribué dans le métro que douze coups de mâchoires sont recommandés pour chaque bouchée de nourriture afin de ne pas trop fatiguer l'estomac. On appelle ça mâcher le travail de son système digestif.

Je mâchais en additionnant les douzaines.

Un homme a cogné sur la vitre. J'ai pensé au fiancé

de la serveuse, mais celle-ci a chialé avant de lui ouvrir. Il est entré, la quarantaine pas fraîche, les cheveux gras, les vêtements raides de crasse. La serveuse l'a salué par son nom ; un habitué, donc. Elle est retournée derrière sa caisse pour prendre sa commande. Dans ce genre de boutique, si on attend d'être servi à la table, on finit par mourir de faim. Alors on se lève, on commande, on paye. Ça réduit le personnel ainsi que les frais fixes et ça augmente la marge bénéficiaire.

Le gars a soudain sorti un énorme couteau de chasse de son blouson et a menacé la fille. Sa voix était chargée d'alcool. Il voulait la recette de la journée. La serveuse est demeurée d'un calme olympien. Elle lui a parlé avec gentillesse.

— Arrête, Sam ! Tu vas le regretter, après. Range ton couteau, prends un sandwich et va te coucher. Je ne dirai rien à personne.

Le gars s'est énervé. Il a haussé le ton, rapproché la lame du cou de la fille.

— Ferme-la ! Donne-moi ta caisse ! Vite ou je te pique !

La serveuse a senti qu'il n'était pas « parlable », mais elle a encore voulu parlementer. Elle était gentille, elle agissait ainsi pour lui éviter des conséquences fâcheuses. Cet abruti ne s'en rendait pas compte. Au lieu de braquer un dépanneur à l'autre bout de la ville, il était venu dans sa boulangerie habituelle pour ramasser de l'argent de poche. Le parfait idiot.

— Sam, fais pas le con. Si tu continues, j'appelle les bœufs et tu te retrouveras dans le trouble.

Elle avait une voix douce et fatiguée. Elle voulait juste fermer la boutique et rentrer chez elle prendre un bain en fumant son joint. Ce gars lui gâchait sa soirée en plus de foutre en l'air sa propre existence. Il a rugi de plus belle, postillonnant, tapant du poing, exacerbant sa menace.

— Envoye le *cash*, hostie !

C'est sur cette réplique que je suis intervenu.

Jusque-là, j'étais peu impliqué dans cette affaire. Installé en retrait à ma table, je n'étais pas acteur de la scène, juste figurant muet. Je n'étais pas franchement rassuré, pas non plus en danger. Je me suis imaginé dans mon fauteuil chez moi, à regarder ce film et à rouspéter contre le lâche au fond de la salle qui ne réagit pas pour venir en aide à la pauvre travailleuse si généreuse, si courageuse. « Bouge, pauvre con ! Lève-toi et défends la femme et l'orphelin », me serais-je écrié. En plus, au cinéma, le gars finit toujours par se marier avec la fille qu'il a sauvée.

Encore dans la fiction, j'ai décidé de franchir la barrière de la réalité tridimensionnelle.

Pour la première fois de ma vie, j'ai abandonné mon statut de spectateur pour devenir acteur d'un drame qui se jouait devant moi. Je me suis redressé. Je me trouvais grand, beau et fort, alors que je suis moyen de partout.

— Sam, cesse tes conneries. Pose ton couteau et laisse-la tranquille !

Sam s'est immobilisé. Ma force de dissuasion est devenue palpable. Je ressemblais soudain à un héros. Mon ego s'est enflé. Jusqu'à ce que Sam fasse volte-face et rapplique vers moi en se cognant aux chaises.

Il ne manifestait rien. Son couteau pointait à l'horizontale au bout de son bras droit qui pendait le long de son corps. Un léger balancement produisait de brefs reflets menaçants. Je me suis vite senti dépassé par la situation. Mon nouveau statut de second rôle m'a paru inapproprié. Un peu tard pour changer la distribution : Sam m'avait rejoint et me toisait.

Il a lentement remonté l'arme blanche jusqu'à mon ventre et fait mine de l'enfoncer dans le gras. J'ai avalé des gouttes de salive. Ça passait mal.

— Tu m'as parlé ? On se connaît ? On a été présentés ?

— Je...

— Tu ?...

Voilà qu'il se payait ma tête ! Déplorable retournement de situation. Du coin de l'œil, j'ai aperçu la serveuse qui n'avait pas bougé d'un centimètre. Elle n'allait pas appeler la police pour si peu, ou du moins pas avant qu'il y ait eu violence, agression, coups et blessures. Je n'avais pas d'autre choix que de poursuivre dans la voie que je m'étais fixée.

Ça aussi, je l'ai lu dans le journal gratuit distribué dans le métro : quand on est pris dans des sables mouvants, ne pas gigoter tel le débile moyen, car on accélère notre descente aux enfers. Il paraît qu'on doit faire la planche. Je suis sûr que, lorsque ça t'arrive, la panique efface jusqu'au nom de ton chien.

Je raconte ça, parce que, là, j'aurais dû me souvenir que les vrais héros ne meurent jamais. Seuls les méchants succombent. Moi, j'étais un gentil. Ça aurait pu me forcer à la boucler. J'ai persisté dans ma bravade gratuite.

— C'est bon, Sam. Pose ce couteau et rentre chez toi. Relaxe !

Il a ouvert la bouche pour me répondre. Son haleine refoulait une odeur de bière blonde.

— T'es qui, toi, pour me donner des ordres ? Tu te prends pour ma mère ?

Il a appuyé un peu plus fort sur mon ventre. J'ai senti la pointe de la lame entrer en contact avec ma peau. Désagréable autant que vivifiant. La peur n'éloigne pas le danger, mais le danger peut anesthésier la peur. J'ai improvisé mon texte :

— Ça suffit, Sam ! Il est tard, on est fatigués. T'as bu un coup de trop, ça arrive. Alors écoute les conseils de la demoiselle et sors d'ici sans tenter le diable.

J'essayais de rallier la vendeuse à ma cause, mais elle demeurait impassible derrière sa caisse. C'est tout juste si elle semblait percevoir notre conversation. Elle se la jouait respectueuse, du genre qui ne veut pas se mêler des affaires d'autrui. Hypocrite, oui.

Sam a ri. Il s'est retourné vers la fille en me désignant du couteau et il s'est esclaffé.

— Tu l'entends ! Il paraît que j'ai trop bu. C'est la meilleure !

Et avant qu'elle daigne partager sa bonne humeur, il m'a frappé avec le manche de son arme, en plein sur l'arcade sourcilière. Je ne l'ai pas vu venir. La puissance du coup m'a expédié entre deux chaises. Je me suis écroulé avec fracas et douleur. Je saignais autant qu'un cochon égorgé.

Sam m'a laissé sur le carreau et il est retourné vers la serveuse qui essuyait machinalement quelques verres. J'étais dans le brouillard, mais je l'ai entendu reprendre ses menaces là où il les avait arrêtées au moment de mon intervention.

— Envoye le *cash,* câlice !

La porte s'est ouverte et un itinérant a surgi dans la boulangerie en zigzaguant dangereusement. Il a tant bien que mal atteint la caisse et, sans prêter la moindre attention au coutelas pointé sur la fille, il a postillonné sa requête.

— T'aurais-tu un vieux sandwich pour un affamé ? Plutôt que de les jeter...

— Eh, le pouilleux, j'étais là avant toi !

— Nan. T'as ton ticket ? T'es quel numéro ?

La serveuse a rigolé. Elle a plongé sa main dans la vitrine réfrigérée pour attraper un sandwich emballé dans une pellicule plastimoulante. Elle l'a tendu au clochard.

— C'est à quoi ?

— Thon et concombre.

— J'aime pas le thon. T'aurais pas du salami ?

Sam a dévisagé le miséreux avec des yeux hallucinés.

— Toi, t'es pas gêné ! On t'offre à bouffer et tu fais le difficile. Prends ce qu'on te donne et disparais !

Sam a amorcé un geste avec son couteau en direction de la sortie. L'autre a attendu que la serveuse lui change son sandwich, puis il est reparti en traînant les pieds.

— Tu pourrais dire merci ! lui a crié Sam.

La bouche pleine de pain et de film alimentaire, l'affamé n'a pas réagi.

La porte s'est refermée automatiquement. J'ai tenté de me relever, mais la tête me tournait trop. Je me suis alors assis par terre en m'appuyant le dos au mur.

Sam a de nouveau pointé son arme sur la serveuse. Cette fois, il lui visait le sein gauche.

— Bon, assez niaisé. Le fric, et vite !

— Sam...

Elle n'a pas eu le temps de finir sa phrase. Une armoire à glace au visage sanguin est entrée à son tour. Bien mis, les habits coûteux, l'homme a foncé sur la serveuse en tendant sa grosse main aux doigts boudinés.

— Alors, Ginette, t'as fini ta caisse ? Combien y a ?

La Ginette en question a fait sonner le tiroir en l'ouvrant. Elle a pris une liasse de billets et l'a tendue à son patron. Sam observait l'argent qui lui passait sous le nez.

— Hé ! J'étais là le premier. *Fuck* !

— Ginette, sers ce monsieur. J'aime pas que les clients attendent. Qu'est-ce que vous avez commandé ?

Sam n'a rien répondu. Personne ne le prenait au sérieux dans son rôle de méchant braqueur de BCR. La carrure en pan de mur du patron en imposait. Il a bafouillé :

— Je... Je... Le *cash*. Je...

— Sam voulait nous braquer, a expliqué la serveuse.

— Ah bon. Ben, tu vois, c'est moi qui l'ai maintenant, le *cash*. Allez, bonne nuit à vous.

Le patron a fait demi-tour. Avant de franchir le seuil, il s'est adressé à la serveuse sans même se retourner.

— Ginette, t'oublieras pas de ramasser le gars par terre avant de quitter.

J'avais eu l'impression qu'il ne m'avait pas remarqué. Je m'étais trompé. J'existais vraiment dans ce décor.

Aussi sec, Sam avait de nouveau pointé son couteau sur la fille. Il avait changé de sein, mais pas d'idée.

— Vide la caisse dans un sac en papier. *Go !* Les sous noirs avec, je prends ce qui reste. Je suis trop cassé.

La serveuse a soupiré. Il l'agaçait plus qu'autre chose.

— Sam ! Tu fais chier à la fin. Va-t'en et tout de suite !

Elle avait changé de ton, passant à l'autoritarisme.

— Tiens, aide-moi plutôt à relever cet imbécile qui se prend pour Bruce Willis.

Ginette a contourné le comptoir et a tiré Sam avec elle dans ma direction. Ils m'ont empoigné chacun sous une aisselle et m'ont *verticalisé* sans ménagement. Elle m'a grondé.

— À quoi vous vouliez jouer, là ? Hein ? Cet imbécile de Sam aurait pu vous blesser. Regardez-vous : vous êtes moins bâti que Roberto Benigni !

Elle me poussait au pas de course vers la sortie. J'ai tenté de me justifier.

— C'est pour vous que...

— Tss-tss ! Vous êtes intervenu pour faire votre intéressant. J'ai besoin de personne pour m'occuper de mes affaires. Réglez vos problèmes et ce sera déjà beaucoup...

Au moment de quitter à mon tour ce repaire de cinglés, j'ai été bousculé par deux filles du type sportif qui ont jailli dans la boulangerie tels des missiles. Elles m'ont écrasé contre le mur sans s'excuser.

— Ginette, qu'est-ce que tu fous ? T'as vu l'heure ? Ça commence à la demie. On va rater le début.

— Ben oui, je suis en retard. Je suis tout le temps dérangée.

Elle nous désignait du menton, Sam et moi.

Je suis resté collé au mur. J'étais curieux de voir ce que Sam inventerait. Il s'est encore dirigé vers la caisse, a ramassé son couteau qu'il avait posé sur une table pour me relever, puis a visé l'œil droit de Ginette. Si son ton avait perdu de son mordant, son propos demeurait identique.

— Envoye le *cash*. Je suis fatigué d'attendre.

— Ginette, dépêche-toi !

— Bon, vos gueules, les pies ! Je finis avec votre amie et elle est à vous ensuite.

Sam inspirait surtout de la pitié. Personne ne l'écoutait. Les deux amies de la serveuse étaient en pleine discussion sur le meilleur itinéraire à prendre pour arriver le plus vite possible au bout de la ville. Tout ce qu'elles voulaient, c'est que Ginette se débarrasse de cet importun.

Sam a hésité, je l'ai bien senti. Il a allongé un pas dans leur direction, puis il est revenu face à la serveuse. J'avoue que je l'ai trouvé brave. Un autre se serait découragé. Il était là depuis vingt minutes et sa collecte de fonds ne semblait toujours pas intéresser le public.

Il a dû décoder qu'il était temps de changer de tactique. Il a rangé son couteau dans son blouson. Ginette lui a souri comme une maman sourit à son dernier qui vient de piquer une grosse colère et qui tente de reprendre son souffle. Sam a alors sorti un automatique de sa poche et l'a pointé sur la serveuse. Ce gars était plein de ressources.

— Et ça, ça te parle ? Le *cash*, ma belle !

— T'as vu son *gun* ! Trop *cool* !

Les deux copines se sont approchées du braqueur et l'une d'elles a agrippé l'arme par le canon et s'en est saisie.

— Eh, c'est un vrai ! Trop *nice* !

— Les filles, arrêtez ! C'est plus drôle !

Les deux filles jouaient maintenant à *Charlie's Angels*. Prenant des poses, visant le braqueur, mettant un genou à terre, entonnant la musique du générique.

Le pauvre Sam était au bord des larmes. On venait de lui confisquer son ultime argument et il n'avait pas été capable de se défendre. Les jeunes filles ne respectent vraiment plus rien.

Je me suis senti le devoir d'intervenir une seconde fois. Par compassion, j'imagine.

— Soyez sympas, rendez-lui son arme !

Là encore, j'ai raté une occasion de me taire. J'ai reçu une gifle, puis une autre, et un coup de pied dans le tibia. Les quatre protagonistes n'aimaient pas qu'on se mêle de leur discussion.

J'ai chancelé, je me suis rattrapé à un portemanteau, j'ai titubé de gauche à droite. Une poussée soudaine m'a éjecté dehors, et je me suis étalé de tout mon long sur le trottoir, dans la peau du parfait débile. Le tata de service, c'était moi.

Je me suis relevé. Je souffrais de partout.

La serveuse a saisi le balai et a enjoint à Sam de se tirer à son tour. Il a rebroussé chemin sans piper, après avoir remis son arme dans sa poche. On aurait dit qu'il s'était déchargé de sa rage en me voyant expulsé. Il a déguerpi sans même une croûte de pain sec.

Ginette a verrouillé la porte et elle a fini sa caisse, enfin tranquille. Ses deux copines continuaient de discuter avec de grands gestes, mimant je ne sais quel autre navet. Je me suis demandé si je n'avais pas rêvé la séquence complète.

J'ai pensé rentrer chez moi afin de nettoyer le sang qui coulait le long de ma joue jusque dans mon cou. Encore une chemise blanche de foutue. J'avais pourtant le goût de continuer la soirée dehors. Personne ne m'attendait.

Et j'ai vu Sam qui s'éloignait.

Je l'ai suivi de loin, pour tuer le temps. Il est entré dans un dépanneur tenu par un couple de Chinois que je sais rapide sur le signal d'alarme. J'ai craint le pire.

Rien ne s'est produit. Sam est ressorti en déballant un paquet de cigarettes. Il s'en est allumé une, m'a aperçu, m'a souri et m'en a proposé une. J'ai eu un réflexe de protection, puis j'ai accepté. On a marché un peu côte à côte, sans un mot.

Je me sentais détendu. Lui aussi semblait heureux de cette petite balade en ma compagnie. J'avais été le seul à le prendre au sérieux. Grâce à moi, il avait eu droit à deux scènes d'action intéressantes.

Il m'a donné une tape dans le dos. Je n'ai pas osé lui rendre ce signe d'affection.

— Et maintenant ? ai-je lancé.

— Tu pourrais faire le guet cinq minutes devant la pharmacie ?

On était arrivés en face de la grande surface ouverte jusqu'à vingt-trois heures, sept jours sur sept.

— OK ! Mais utilise tout de suite ton *gun*, ça ira plus vite.

— T'as raison. C'est utile, l'expérience, a-t-il ajouté avec force conviction.

Sam a pénétré dans le magasin, avec le regard décidé de celui qui n'a plus rien à perdre. J'aurais presque eu peur en le croisant.

La sirène a aussitôt retenti, arrêtant une voiture de patrouille qui passait à ce moment précis. Je n'ai pas eu le temps de finir la cigarette que Sam m'avait offerte.

Quand ils l'ont sorti avec les menottes, j'avais retrouvé mon rôle de contemplatif. J'étais un badaud parmi tant d'autres.

En soufflant la fumée par le nez, je venais de reprendre la place que je n'aurais jamais dû quitter : sur le banc, en dehors de l'action.

En face

En face de chez moi se dressait un imposant mur en brique. Il n'était troué que par une fenêtre, au centre, un étage plus haut que le mien. C'était elle qui m'intéressait.

Ou plutôt, son occupant.

Chaque soir, un homme apparaissait, assis à sa table de travail. Je voyais juste son profil gauche, dans la partie droite du cadre.

Il semblait travailler, mais à quoi? Il y passait ses nuits, penché sur son mystérieux labeur. Le matin, il était encore là, assidu, concentré et remuant à peine.

Je l'ai d'abord pris pour un illustrateur, songeant que cet oiseau nocturne occupait son temps à réaliser des bandes dessinées. Il ne tapait pas sur le clavier d'un ordinateur et, incliné, s'appliquait à quelque tâche minutieuse. Ça ne collait pas, car aucun crayon ni aucun pinceau n'était planté dans les pots sur son bureau. Il faut reconnaître que mon champ de vision m'empêchait de distinguer ce qui se situait plus bas que ses épaules.

Je devais chercher ailleurs.

Je me suis donc mis à l'épier davantage. Un soir, j'ai surpris un léger mouvement de son visage, de bas en haut, de haut en bas. Il paraissait comparer deux éléments. Je l'ai donc affublé du titre de correcteur d'épreuves pour un éditeur de briques littéraires. Là encore, ma théorie a failli. Des dictionnaires l'auraient entouré de toutes parts, qu'il aurait consultés pour s'assurer de ses modifications, annotant de dizaines de signes des copies maladroites. Rien de cela en vue.

Il aurait aussi pu, armé de son burin, graver des morceaux de bois miniatures. Serait-il alors crédible qu'il n'approche jamais ses œuvres à la hauteur de ses yeux pour mieux les détailler ?

Pourtant, ce hochement de la tête restait ma meilleure piste. Je voulais comprendre. En fait, j'étais jaloux de la capacité de cet individu à demeurer planté là des heures durant, sans fumer, sans répondre au téléphone, sans déambuler, sans piller son frigo. Je trépignais à l'observer ainsi, lui si paisible, moi si énervé.

Priait-il ? Ses lèvres demeuraient obstinément closes.

Lisait-il ? Mais que doit-on lire seulement quand le soleil est couché ?

Et s'il était un vulgaire insomniaque ?

Je passai plusieurs nuits à tenter de déceler un nouvel indice propre à aiguiller mon enquête. Au matin, je me réveillais de travers, la figure collée au carreau. Le noctambule d'en face n'avait pas bougé d'un poil, remuant imperceptiblement, comme s'il acquiesçait sans cesse à la même évidence.

J'élaborai alors une nouvelle théorie. Il était comédien et apprenait un rôle. Ce qui expliquait sa concentration sans faille. Le jour, il devait répéter une pièce de théâtre pour intellectuels éclairés.

Je m'accrochai à cette idée pendant une semaine. L'abandonnant à son labeur solitaire, je trouvai enfin un répit dans le sommeil.

Cela ne dura pas.

À mieux le regarder, on voyait bien qu'il ne présentait aucun signe caractéristique d'un acteur. Sinon, il se serait levé pour interpréter son rôle, brassant l'air de ses longs bras, déclamant à tue-tête, intense et magnifique. Fausse route, car il aurait un beau matin cessé d'apprendre pour enfin jouer et je ne l'aurais plus retrouvé ainsi, fidèle présence dans le mur.

Je l'avoue, mon imagination me fit défaut. J'avais épuisé la somme des professions de ma connaissance, ou du moins celles qui répondaient aux gestes de mon voisin.

Une chose demeurait étrange : il ne regardait jamais dehors. Son profil restait parfait. J'ai acheté une longue-vue pour lui voler davantage d'intimité. Les yeux froncés, j'ai scruté de plus près cette créature insomniaque. Pour pas grand-chose. L'examen détaillé de sa narine, de sa barbe mal rasée, de ses cheveux bruns bouclés et de sa bouche muette ne m'a rien enseigné de plus. J'ai rangé mon instrument.

En réalité, je guettais un événement quelconque. Une variation, une apparition, un cri, un signe. N'importe quoi. J'ai piétiné en vain encore une quinzaine.

Je suis allé au cinéma pour me changer les idées. Je n'ai pas regardé quel film jouait. J'aurais dû, car c'était un vieux navet brésilien et je me suis assoupi dès le début. Je me suis réveillé d'un bond en poussant un cri.

— Les statues !

J'avais rêvé que j'étais sur l'île de Pâques et qu'une armée de statues géantes s'arrachaient du sol pour venir m'écraser, m'enfoncer dans la terre. J'ai quitté la salle sous les regards noirs de trois Sud-Américains cinéphiles encore éveillés.

Il fallait que je marche pour réorganiser mes pensées bousculées. Trois kilomètres me séparaient de mon appartement. Une distance suffisante pour activer ma cogitation.

Je commençais à sérieusement haïr ce gars. Mais je n'avais nulle envie de me faire encore du mauvais sang. J'accélérai soudain la cadence de mes pas, l'air décidé, les sourcils froncés, la bouche pincée. J'en avais assez de tourner autour du pot.

Cette marche m'a décoincé. Ma vie semblait suspendue au mystère du gars d'en face et cela devenait ridicule. Je n'avais pas à résoudre l'énigme de l'homme au masque de fer, juste à éclairer ma lanterne concernant le voisin qui habitait à cent mètres de chez moi.

Au risque de passer pour un fou ou un indiscret, je me suis donc décidé à sonner à sa porte. Il fallait que je le questionne en direct. Je préférais ruiner mon amour-propre que brimer ma curiosité.

Facile à dire.

J'ai sonné un long coup, puis trois plus brefs. Je ne suis pas sûr que le moindre carillon ait retenti, mais je ne me suis pas donné la peine de m'en assurer. J'ai commencé à tambouriner sur la porte tel un sauvage. Aucune réaction à mon tapage. J'ai enchaîné avec de violents coups de botte dans le bois. Ça sonnait creux, ce n'était pas une entrée blindée.

Ma main a saisi la poignée, l'a tournée : c'était ouvert. J'ai pénétré dans cet antre maudit.

Mon cœur battait la chamade. Je me suis avancé lentement. Le plancher craquait. J'aurais voulu me faufiler sans bruit jusqu'à la fenêtre. Absurde, car je venais de faire plus de boucan qu'un déménageur échappant un piano du troisième étage. Je devais avoir l'air d'un idiot, car je me suis risqué à chuchoter : « Il y a quelqu'un ? », et aussi : « C'est votre voisin d'en face. » Des conneries.

Je me suis inquiété de ce silence. Je me contrefichais de sa santé. Je voulais juste qu'il soit encore en état de me répondre.

Quand je suis arrivé près de la fenêtre, il a paru peu surpris de me voir dans son appartement.

Il tremblait à la manière d'une feuille de peuplier, par saccades.

— Vous avez fini par venir.

C'est drôle, car je ne m'attendais pas à entendre le son de sa voix. À force de le scruter à distance, je l'avais classé de façon inconsciente dans la section des sourds-muets. Il m'aurait parlé en langage des signes que j'aurais trouvé ça normal. Il était devenu une sorte de figure virtuelle, une vue de l'esprit.

Je n'ai pas apprécié le ton qu'il employait. En vérité, j'avais la trouille. Ma balade m'avait motivé. Mes coups de pied dans sa porte m'avaient défoulé. Et là, je me tenais face à un inconnu qui semblait trouver naturelle ma présence chez lui.

Il était temps de réagir. De cesser de jouer au con. Il devait m'expliquer pourquoi il demeurait assis là si longtemps. La curiosité est un vilain défaut, affirme-t-on, mais je suis persuadé du contraire. Sans elle, l'humain ne serait jamais sorti de sa caverne pour marcher sur la Lune et inventer le satellite espion. Oui, mon attirance pour cet olibrius débordait d'un cadre rationnel, sauf qu'à cet instant une seule chose comptait pour moi : que manigançait-il sur sa maudite table ?

— Je l'ai finie, lâcha-t-il en me devançant.

Je me suis approché de lui et de son index qui désignait un drap. Il l'a soulevé. J'ai sauté en arrière. La gueule hurlante d'un tigre venait de surgir. Colorée, criarde, japonisante tendance manga, tatouée sur une peau. Au moins vingt centimètres sur trente.

— Touchez, c'est si doux.

Il s'est emparé de ma main pour l'attirer vers l'immense tatouage. Et moi, fasciné, je me suis laissé guider. Mes doigts sont entrés en contact avec un cuir d'une délicatesse incroyable. Le hurlement figé du fauve en était l'exact opposé. J'ai frémi. Il a continué à me diriger, dévoilant peu à peu son œuvre, plus loin, vers la droite. C'était parfaitement troublant, quasi excitant, jusqu'à ce contact sous la toile de lin. Des fesses. Un cul de femme sublime. J'ai poursuivi seul la découverte. Prodigieux, pensai-je.

Et j'ai arraché ma main à cette fascination. Un cul, oui, mais un cul froid. Le cul d'une morte. Mon geste a fait glisser le drap à terre. Erreur et horreur.

Lui, il regardait avec des larmes dans les yeux.

— Pure merveille, c'était une pure merveille.

Il paraissait possédé par cette vision. Il y avait là le corps nu d'une femme dans la vingtaine, allongée sur une table, les jambes ballantes, les bras croisés sous la tête. On ne voyait pas son visage, tout emmailloté de bandelettes.

La puanteur, soudain, m'a réveillé. Une improbable combinaison de cire et de chlore, d'eau de Cologne bon marché et d'encre.

— C'était donc ça, vous... Vous passez vos nuits à tatouer cette... cette... cette momie !

— Vous êtes arrivé à temps. Je viens de l'achever.

Il caressait le dos, les poils luisants du tigre.

— Elle aimait trop ce dessin.

Il m'a montré une photo couleur du même tatouage. Je devais me ressaisir. Je baignais dans l'irrationnel. J'étais en train d'écouter un fou me parler d'un macchabée tatoué, aussi naturellement que s'il me causait de la météo du jour.

Déjà, il continuait.

— Elle l'aimait trop et moi, j'étais jaloux. Ils étaient comme deux blocs créés pour s'emboîter. J'aurais dû l'admettre, la laisser à son bonheur. Un sentiment pur. Elle regardait le dessin, le caressait pendant des heures, s'endormait dessus en lui chantant une berceuse. Elle était amoureuse du tigre, pas de Samuel. Mais le tigre était sur le ventre de Samuel. Il ne pouvait pas survivre. Je l'ai donc tuée elle aussi pour qu'elle ne souffre plus. Je crois qu'elle avait envie de partir. Avant de mourir, elle m'a fait promettre de lui tatouer son dessin. Pour emporter son amour dans l'au-delà. Dorénavant, elle sera en paix pour l'éternité avec lui.

Il paraissait sincère. Si sincère que je ne savais pas quoi rajouter.

— Vous l'aimez?

Il me questionnait au sujet de ce dos sublime.

— J'ai fini mon travail. Elle demeurera en paix, gravée dans ma mémoire. Vous pouvez l'emmener.

— Je ne saisis pas.

— Elle est à vous. Depuis le temps que vous m'espionnez, vous le méritez.

J'étais abasourdi. Je n'ai pas réagi.

— Ne vous inquiétez pas pour son poids : elle est très peu pesante. Déjà, de son vivant, c'était une plume, et là, je l'ai entièrement vidée pour éviter le pourrissement. Maintenant, elle n'a plus que la peau sur les os.

Et il a ri !

J'aurais dû m'arracher à ce cauchemar éveillé. Pourquoi ne me suis-je pas arraché à ce cauchemar éveillé ?

Il avait déjà roulé le corps dans le drap, nouant les deux extrémités. Il a soulevé l'ensemble sans forcer et me l'a déposé sur l'épaule. C'est vrai que c'était d'une légèreté incroyable.

Je n'aurais jamais dû faire ce qui a suivi. J'ai levé les bras pour lui rendre sa bien-aimée et mes doigts se sont posés sur ses fesses. Son cul à elle. Ils n'en sont pas repartis. Qu'avait-il mis dedans pour le rendre aussi moelleux ?

— Si on vous interroge, vous n'aurez qu'à répondre que vous avez taché votre tapis afghan et que vous l'apportez à nettoyer chez un spécialiste. Il existe un spécialiste pour chaque problème de l'humanité.

Il souriait, fier de sa trouvaille.

— Oui.

J'ai soufflé ce minuscule oui, les mains agrippées au postérieur de la fille qui avait un tigre dans le dos.

Je suis reparti. Il a refermé la porte avec délicatesse derrière moi. Avant, il a précisé ceci :

— Elle s'appelait Rosa.

Chez moi j'ai installé Rosa sur la table du salon.

Par habitude, j'ai jeté un coup d'œil à la fenêtre d'en face. Il avait bouché sa vitre avec un carton brun. La lumière était éteinte. J'ai tiré le rideau.

Ensuite, j'ai dénoué le drap pour découvrir Rosa. Des épaules aux cuisses. J'avais l'intégrale pour moi seul : le tigre, le cul, la paix. Je me suis assis et j'ai joui de cette vue imprenable, sans ciller. Une heure durant. Qui peut se lasser de la perfection ?

J'avais éteint le chauffage pour ne pas encourager la décomposition des chairs. Rosa paraissait bien embaumée, mais on ne sait jamais.

Je suis ainsi resté une nuit, les yeux rivés sur ce que Courbet a appelé *L'origine du monde*. Je ne voyais pourtant pas un beau cul pour la première fois. Celui-ci était différent car offert, dans tous les sens du terme. Sa contemplation me suffisait. Je pense que j'étais ensorcelé. Je devais réagir.

Le lendemain, j'ai pris ma décision.

Je jouais avec le feu. Cette dépouille mortelle ne m'appartenait pas, elle ne pouvait pas demeurer chez moi. Il me fallait la rendre à son propriétaire. Je l'ai longuement caressée en murmurant son nom et en lui chantant des berceuses. Puis le drap a repris sa place autour de son corps, les nœuds se sont refaits aux extrémités. Je l'ai empoignée. Je suis sorti avec Rosa. Un fétu de paille.

Au coin de ma rue, il y avait deux policiers en faction. Le plus jeune m'a demandé ce que je transportais là.

— J'ai taché mon tapis afghan, alors je l'apporte à nettoyer chez un spécialiste.

Je souriais, fier de la trouvaille de l'autre. Le plus vieux a toussoté.

— Il existe un spécialiste pour chaque problème de l'humanité, ai-je ajouté.

— Vous venez d'ailleurs d'en rencontrer deux, a répondu le vieux en soupirant.

J'ai serré les fesses. Les miennes.

J'avais plutôt l'air d'un voleur ou d'un déménageur de cadavre, alors ils m'ont embarqué dans leur camionnette avec mon chargement. Ils ont allongé Rosa sur une banquette à l'arrière et m'ont attaché au siège devant elle.

— Tout ça pour un tapis ? ai-je tenté.

Resoupir du policier âgé. La nouvelle recrue, quant à elle, m'a décoché un jab bien senti dans le foie. Je me suis tu. Nous avons démarré en douceur, et Rosa n'est pas tombée sur le sol.

Voilà.

Comment justifier la présence d'une jeune morte tatouée sur son épaule ? Impossible. Alors j'ai raconté la vérité, accusant l'autre. C'est lui qui l'avait tuée, vidée et le reste. Moi, je n'avais fait que l'observer dodeliner de la tête durant des dizaines de nuits.

Évidemment, mon inquiétant voisin avait quitté les lieux et personne n'en avait entendu parler.

Je me suis donc réfugié dans le silence en guise de défense. Ce qui n'a pas aidé pour alléger ma sentence.

J'ai appris durant le procès que tatouer une chair morte est presque impossible. Et aussi que Rosa n'était décédée que soixante-douze heures avant mon arrestation. Mon voisin m'avait donc en partie menti. Il l'avait laissée s'éteindre à petit feu en la tatouant, jusqu'à sa mort. J'y serais allé quatre jours plus tôt, j'aurais selon toute probabilité sauvé Rosa.

Et j'aurais connu son cul vivant.

Mort et remords

Incapable de fermer un œil, Gaétan se tournait et se retournait dans son lit depuis minuit. Il décida de se relever pour aller boire.

Sa femme dormait profondément, émettant par moments de brefs sons aigus. Elle avait avoué à son mari que ça se produisait chaque fois qu'elle faisait un rêve érotique.

Gaétan la laissa tranquille. Il descendit l'escalier qui grinçait toujours à la quatrième marche en partant du haut, tourna dans le couloir à gauche, rejoignit la cuisine, puis s'arrêta devant l'immense frigo blanc. Quelques photos récentes et anciennes de leurs enfants et petits-enfants étaient accrochées à la porte à l'aide d'aimants. Mais ce n'était pas ces images de bonheur que Gaétan fixait.

Il attrapa un papier, le lut et le relut. Une citation à comparaître le lendemain. Il hocha la tête, remit l'avis où il était, puis marmonna pour lui seul :

— Quand il faut payer, il faut payer.

Il se versa un verre de lait deux pour cent, le vida lentement sans quitter la lettre du regard, le rinça et remonta dans sa chambre en évitant de poser le pied sur la marche bruyante.

Françoise ne produisait plus aucun gémissement de

plaisir. Un léger sourire aux lèvres, elle dormait en paix, semblant contentée par son visiteur imaginaire. Gaétan s'allongea dans le grand lit et se colla contre elle. La chaleur de sa femme l'apaisa. Il se répéta pour la millième fois les mots qu'il avait prévu prononcer le lendemain, avant de sombrer à son tour dans le sommeil.

Son répit ne dura qu'un court instant. Ce ne fut pas une jeune naïade qui vint le divertir dans les limbes, mais un cauchemar, toujours le même. Il se trouvait dans une auto tamponneuse, très concentré, et cherchait sur qui foncer pour le percuter. Autour de lui, les gens riaient, s'amusaient, inconscients du drame en devenir. Soudain, la piste se vidait et il ne restait plus que deux véhicules en plus du sien. Le premier était conduit par Nelson Mandela et le second par George W. Bush. Le silence avait remplacé l'exubérante insouciance qui précédait. Gaétan regardait chacun avec un méchant rictus, puis il se précipitait sans hésiter sur le héros de la lutte anti-apartheid et le renversait avec hargne. Il se réveillait à ce moment précis, sans jamais connaître les conséquences de son acte.

Trempé de sueurs froides, grelottant, il contempla les fissures du plafond en tentant d'y faire disparaître cette angoisse récurrente.

Lorsque Françoise le rejoignit dans le salon ce matin-là, Gaétan affichait une mine terrible, des valises pour le tour du monde sous les yeux, un teint vert, et gardait les sourcils froncés en permanence.

— Mon amour, il faut que tu arrêtes de te miner de la sorte. Ce sera bientôt fini.

Gaétan imprima un sourire forcé sur ses lèvres. Comme si ça pouvait cesser un jour. Sa femme ne pouvait pas comprendre. Aucun de ses proches ne concevait l'inconcevable. Il ne leur en voulait pas. Ce qui l'agaçait, c'était cette coalition imposée autour de lui. On avait l'impression qu'ils s'étaient donné le mot pour afficher un manque criant de lucidité. Personne n'admettait l'évidence. Personne ne voulait reconnaître ce qu'il leur avait raconté après l'accident. Gaétan était surmené, voilà tout. Ils niaient en bloc sa culpabilité.

Comme si son passé pouvait effacer son acte.

Son geste inqualifiable.

Depuis, il avait baissé les bras. Une grosse mécanique avait mis en marche ses puissants rouages et on ne lui demandait plus son avis. Sa place au centre de la polémique devenait purement symbolique. Ses amis le sauveraient de ce malentendu. En dépit de tout.

— Bonjour, papa !

Sa fille Josiane fit son apparition, avec son compagnon, un jeune métis au physique impressionnant qui lui broya les phalanges en le saluant.

— Ça va aller, Gaétan.

Décidément, c'était une obsession. Mais bon, on ne pouvait leur reprocher de vouloir son salut.

À dix heures, chacun regagna sa voiture et ils partirent en convoi, accompagnés par deux autres autos remplies de sympathisants. Françoise avait pris le volant sans même lui demander son avis. Depuis la tragédie, il refusait de conduire.

Ils furent au Palais de justice en moins de cinquante minutes. Là encore, des militants de longue date s'étaient déplacés pour le soutenir. En face d'eux, une imposante communauté noire les observait en silence, avec rage.

On touchait enfin au cœur du paradoxe.

Gaétan rentra la tête dans les épaules. La honte le submergeait. Sa femme le poussa à l'intérieur, lui interdisant de parler avec une grosse Noire qui lui avait lancé un nom d'oiseau.

La salle du tribunal était bondée. Pleine à craquer d'opposants et de supporteurs de sa cause. Gaétan ne voulait tellement pas ça. Il avait souhaité le contraire. Mais ses relations n'avaient rien voulu savoir. Il s'était battu sa vie entière pour les autres. C'était à ses compagnons de lutte, maintenant, de le soutenir jusqu'au bout.

Malgré lui.

Le procureur de la Couronne rappela les circonstances de l'accident.

— Le 20 septembre 2004, vous rendez visite en voiture à votre fille. Il fait encore jour. Vous affirmez alors rouler sous la vitesse maximale de quarante kilomètres à l'heure, ce que confirment plusieurs voisins. Dans une courbe, deux enfants surgissent, courant après leur ballon de soccer. Vous ne pouvez éviter les deux, et votre véhicule heurte Manu Laferrière, neuf ans, qui meurt le lendemain des suites d'une commotion cérébrale. Reconnaissez-vous les faits ?

— Oui.

On invite les témoins de la défense à entrer, et le grand cirque commence.

Gaétan ferme une seconde les paupières. Il ne les entend plus. Il revoit l'horreur : les gamins qui jaillissent devant sa voiture tels des fantômes dans un jeu vidéo.

Prenant le contre-pied de l'accusation, ses anciens camarades de lutte défilent à la barre, décrivant l'homme de tous les combats pour l'égalité, contre le racisme, contre la ségrégation, contre l'exclusion. Ils rappellent son engagement en Afrique, en Haïti, dans les quartiers défavorisés. Ils témoignent de sa formidable détermination auprès des sans-papiers débarquant de Chine.

— Cet accident, oui, cet accident dans la vie de Gaétan, est irréparable pour la famille du petit Manu. Mais il ne doit pas, en plus, marquer au fer rouge ce citoyen exemplaire qui ne le mérite vraiment pas. Il faut parfois savoir pardonner.

Sur leurs sièges, les parents en deuil ne font que pleurer. Comment oublier la disparition d'un enfant ?

Gaétan ne voit qu'eux.

Le procureur parle de négligence criminelle ayant entraîné la mort, d'une absence totale d'entretien de la voiture, des freins défaillants.

La parole est à la défense. Gaétan a refusé l'aide des meilleurs avocats. Il peut enfin s'exprimer seul.

— Quelque chose s'est brisé en moi ce soir-là. Une certitude a disparu, une peur est née. Je ne m'explique pas mon geste.

Il se tait un court instant, non pour chercher à créer un effet, mais pour s'humecter les lèvres. Sa langue est si sèche.

Sa plaidoirie se transforme en réquisitoire. Gaétan s'accuse du pire. Lui, le combattant des bonnes causes.

Françoise est tétanisée. Son mari est tout sauf mauvais.

Il continue d'une voix blanche. Il raconte enfin, se soulage.

— L'auto ne voulait pas s'arrêter, je n'avais plus la place pour passer, ils ont surgi si vite. En réalité, oui, j'avais un espace à gauche ou à droite. Du côté de Manu ou de son ami. J'ai choisi. Oui, j'ai opté pour le Noir plutôt que pour le Blanc. C'est inqualifiable.

Il achève son court récit, insistant sur cette précision : il ne pouvait en éviter qu'un. Son inconscient a préféré percuter Manu. Laissant la vie sauve à son copain.

La voilà, la véritable atrocité qui hante Gaétan. Ce geste incroyable, surtout venant de lui.

Gaétan se rassied, soulagé. Il revoit sa main sur le volant, tourner en douceur vers la gauche. Manœuvre de fou. Il a voulu sauver le caucasien. Au fond de son cerveau, un réflexe xénophobe a donc pris le dessus sur le reste. L'instinct de l'Occidental dominant a triomphé.

— Il faut me châtier, lâche-t-il, convaincu de sa culpabilité.

Le procès ne doit pas devenir celui d'un descendant d'esclavagistes qui a écrasé un jeune issu du tiers-monde. Le juge voit un être sincère, déchiré, un bon père de famille, un conducteur prudent, sobre. Un exemple pour la société qui a, certes, négligé les réparations courantes de son véhicule, mais ne mérite pas une lourde peine.

L'accusé est relaxé. Ses amis crient de joie.

Gaétan jette un dernier regard aux proches de Manu. Il décide de faire appel de la sentence.

Le bruit qui tue

Un «poc» à peine audible, un quasi-rien.

Ce fut ce minuscule son qui déclencha la suite. Il faut croire que les bruits les plus ténus ne sont jamais perdus pour tout le monde.

Je l'ai entendu à l'instant précis où je venais de prendre mon inspiration et de la bloquer. Ce moment qu'on utilise pour assurer sa visée, avant de faire feu.

Je l'avais en plein centre de la mire de mon monoculaire Zeiss. Un gars énorme, bouffi, gigantesque — impossible à rater. La difficulté alors n'est plus de manquer sa cible, mais d'atteindre une partie molle. Loger une balle dans le gras cause trop souvent de la souffrance sans entraîner la mort. Et je suis largement rémunéré pour exécuter des contrats non écrits, où il est stipulé que seul le décès mérite salaire. Je ne gagne bien ma vie que si les autres la perdent.

Je me trouvais à une centaine de mètres de l'objet de mon exécution, posté sur le toit d'un immeuble du boulevard Saint-Laurent, un peu au nord de la rue Duluth. L'obèse se pointait chaque mercredi à heure fixe et s'installait près de la baie vitrée du grand café branché, en bordure du trottoir. Il commandait une bière et attrapait de ses doigts boudinés le bout de journal le plus proche. Peu importait la page, il lisait ce qui lui tombait sous les yeux : la publicité, le courrier des lecteurs, les sports, la politique internationale, les ragots de la méduse. La lecture lui servait de détente. Je voyais cela avec précision depuis un mois.

Moi, je n'étais pas là pour disserter sur ce grotesque individu. Mes planques hebdomadaires m'avaient permis d'apprendre l'essentiel pour le supprimer et m'enfuir sans courir de risque. Dans mon domaine, on n'a pas les moyens de s'offrir des états d'âme. Je me moque de savoir qui je tue. Ma déontologie ne connaît qu'une seule règle : tant que ce ne sont pas des enfants, je presse la détente sans poser de questions. Chacun a ses raisons pour supprimer son prochain. Un jour, ce sera à mon tour d'y passer. Et alors ? Qui est éternel ici-bas ?

Gras-double s'est assis sur sa chaise habituelle, il a saisi le quotidien qui traînait sur la table voisine et a commencé à parcourir un article sur le virus du Nil. La précision du zoom x 30 de ma lunette d'observation me permettait de déchiffrer avec netteté le titre du reportage : « La piqûre qui tue ». Une niaiserie supplémentaire à ajouter sur la pile des inutiles. Mais quatre mots diablement prémonitoires.

Et soudain, ce « poc ».

J'ai failli ne pas y prêter attention, tant j'étais concentré dans ma position du tireur couché. Mon index commençait à appuyer sur la détente de mon sniping lourd Hecate II. Un joli joujou qui balançait du 12,7 mm plus vite que vous ne cracherez jamais vos noyaux de cerise. Le coup partirait dans une nanoseconde et moi, je déguerpirais juste après. Sauf que mon cerveau a buté sur ce son. L'ayant catalogué «inattendu», ma logique assassine a aussitôt établi une connexion avec un danger extrême. Un couvreur ou un électricien n'auraient jamais eu ce réflexe. Un tueur à gages demeure sur ses gardes, développant d'autres types de défenses.

Une minute plus tôt, je ne l'aurais pas entendu. Le «poc» aurait été couvert par un hurlement de sirène d'ambulance, le vrombissement de l'autobus 55 qui redémarre, le klaxon d'un frimeur en décapotable. Le feu de circulation venait de changer au rouge et il y eut cette parenthèse fatale dans le vacarme urbain.

J'ai basculé sur le côté et j'ai tiré d'instinct dans la direction du son. Sottement et vite. Encore maintenant, je ne comprends pas ce qui m'a pris. Je pense que j'ai eu peur. Le bruit était si faible que je l'ai associé à un risque majeur. L'ennemi aussi s'entraîne à passer incognito. Malin et fourbe, il est toujours prêt à vous flinguer dans le dos. «C'est lui ou moi», me suis-je averti.

J'ai tapé dans le mille.

Le gamin s'est écroulé en silence, aussi étonné que je le fus. Un blondinet au visage d'ange qui devait avoir une dizaine d'années. Il avait grimpé sur le toit en profitant de la porte déverrouillée de l'escalier de secours. Il s'amusait avec un grand avion rouge en plastique. La proximité du ciel représentait le terrain de jeu idéal.

Le «poc» provenait d'une des ailes de son planeur qui avait cogné la rampe en acier. D'où cette drôle de sonorité creuse, claire et légère. Qu'importe.

Il gisait sans vie. Je n'avais pas besoin de vérifier: la balle s'était logée en plein front. Ce type de munitions est conçu pour ne pas pardonner.

Je me suis retourné vers la rue et j'ai épaulé. J'ai agi de façon stupide, inutile et dangereuse pour moi. J'ai vidé mon chargeur dans ma véritable cible obèse : sa tête, son cœur et le reste ont volé en éclats. Un massacre. Je m'en voulais. Quelqu'un devait payer pour mes conneries.

J'ai ramassé mes douilles par pur réflexe et je suis reparti. J'ai enjambé le corps du petit sans oser le regarder.

Au moment où ma deuxième jambe passait près de sa main qui tenait l'avion, le gamin a lâché son jouet pour me saisir le talon. Je ne pouvais pas prévoir. Un mort n'est pas censé remuer encore.

J'ai déboulé les marches métalliques dans le désordre et avec fracas. Mon fusil m'a échappé pour atterrir trois étages plus bas. Je me suis tordu le cou quand mon crâne a atteint le premier palier. Le dernier son que j'ai perçu fut celui de mes vertèbres cervicales qui se brisaient.

Un « crac » parfaitement audible, puis plus rien.

Pomme Z

— Tu l'as fait ?

— Oui et je m'en veux. Je n'aurais pas dû. Quel gaspillage !

— Qu'est-ce que tu as effacé ?

— Si je te le dis, tu ne me croiras pas. Je te jure : tu ne pourras pas croire que je l'ai utilisée pour ça. Je suis trop bête.

— Mais c'est quoi ?

Imaginez le monde d'aujourd'hui. Exactement semblable, à une simple différence près : une fonction.

La fonction.

Celle qu'on a toujours rêvé de posséder, qu'il est impossible d'avoir parce qu'on ne peut pas revenir en arrière. Chacun sait qu'on ne peut remonter le temps qu'en pensée ou en regrets.

Pourtant, dans ce monde-là, on peut. Il existe cette fonction qui permet d'effacer ce que l'on vient d'accomplir.

Elle s'appelle Pomme Z, comme sur les ordinateurs Macintosh lorsqu'on tape une erreur. En appuyant sur les touches Pomme et Z, la frappe ou l'opération précédentes sont annulées, on se retrouve là où on était avant notre maladresse ou notre mauvaise idée.

Pomme Z fonctionne avec les humains de ce monde.

Attention: il y a des règles.

— Tu ne peux pas l'avoir utilisée n'importe comment. Ça fait trop longtemps que tu la gardes pour un truc important.

— Justement! Ça me hantait de me gourer, de rater l'occasion. Je me préparais mentalement chaque matin pour être prêt à réagir le moment venu. Tu ne sais pas ce que c'est, toi. Tu ne l'as plus depuis près de vingt ans, tu as oublié la sensation.

— Raconte!

La première règle, c'est qu'on ne peut utiliser la fonction qu'une seule fois dans sa vie.

Il faut donc y réfléchir à deux fois avant de pianoter Pomme Z.

Beaucoup d'individus l'emploient à l'adolescence, à la période des premières amours, des premiers flirts, de la première baise.

Il n'existe pas de statistiques officielles — impossibles à vérifier. Pourtant, on estime qu'une fille sur quatre s'est servie de la fonction par peur de tomber enceinte ou pour retrouver sa virginité.

Dans de nombreux cas, ce fut une bonne idée — pour éviter une vie de mère célibataire, le sida, le rejet. Souvent, ces personnes recommencent le lendemain avec le même partenaire.

Elles le regrettent et c'est tant pis.

— Je t'ai déjà parlé de cette fille que je rencontre de temps en temps… Inès.

— Celle qui habite une grosse maison dans l'ouest de la ville?

— Ouais. Elle appartient à la famille O'Frank, alors elle n'a pas besoin de travailler pour être riche.

— Je vois le genre.

— Non, tu ne vois pas. C'est une chic femme, très simple… et plutôt… enfin, tu vois ce que je veux dire… Je suis fou d'elle.

— Elle a encore sa fonction ?

— Je n'ai pas osé lui demander. Je trouve ça indélicat. Elle me trouble trop.

— Moi, c'est la première chose que je demande à une fille avec qui je veux coucher. Et si elle refuse de me répondre, je n'essaie pas d'aller plus loin. Il me semble que celles qui ne l'ont plus se livrent davantage que les autres.

— Je n'avais pas remarqué.

Tout le monde naît avec la fonction. On l'a en soi. C'est une des premières choses qu'on explique aux enfants.

Les parents leur apprennent ça lorsqu'ils jugent que leur gamin est en mesure de comprendre et de l'utiliser à bon escient.

Perdre sa Pomme Z pour un pipi au lit, c'est dommage, mais ça arrive très souvent. Parfois, le garçon ou la fille oublient qu'ils ont utilisé la fonction si jeunes. Ils sont convaincus qu'ils l'ont encore et, quand ils veulent s'en servir, rien ne se passe. Ça a déjà provoqué des catastrophes.

Commencer sa vie sans sa Pomme Z s'apparente à un handicap. Il vaut donc mieux ne pas trop traîner pour en informer sa progéniture.

Il faut malgré tout patienter, car on n'est pas censé pouvoir l'utiliser avant notre cinquième anniversaire. Cela exige un minimum de concentration.

— Donc tu ne savais pas si Inès l'avait.

— Non et ce n'est pas important.

— Alors qu'est-ce qui l'est ?

— Son père, le vieux O'Frank.

— Qu'est-ce qu'il a à voir là-dedans ?

— Je l'ai tué.

On a exactement cinquante-sept secondes pour utiliser Pomme Z après ce qu'on vient de commettre. Passé ce délai, ça ne fonctionne plus.

Impossible de tricher.

Moins d'une minute pour prendre une décision capitale. Cette courte durée met de la pression, mais elle suffit pour jauger l'importance de l'acte à intégrer dans son vécu ou à éliminer purement et simplement.

Parfois, il n'y a aucune hésitation possible.

Vous venez d'écraser un bambin qui traversait la route en courant derrière son ballon. La fonction vous évitera de repasser ce bout de film cauchemardesque sur votre écran mental pendant le restant de vos jours.

Vous avez appuyé sur la touche Envoi qui expédie à l'ensemble des employés de la compagnie le courriel fielleux affirmant que votre patron n'est qu'un gros impuissant. Un éclair de lucidité vous permet de réaliser que Pomme Z peut éviter votre licenciement.

Vous répondez non à la plus belle fille du collège qui vous invite à son chalet, parce que vous avez promis à votre cousine de l'accompagner aux quilles. En moins de cinquante-sept secondes, vous voilà revenu en arrière pour accepter ces réjouissances inespérées.

Quand on hésite, la sagesse populaire conseille de ne pas utiliser la fonction. « Dans le doute, abstiens-toi, tu ne le regretteras pas », répètent les grands-mères. « J'y vais ou j'y vais pas ? » est la phrase la plus souvent répétée dans ce monde.

— Tu… Tu as tué son père !

— Oui. J'ai explosé la face de ce porc avec son propre fusil de chasse.

— Attends… tu l'as tué une fois ou deux ?

— Qu'est-ce que tu veux dire ?

— Ben, tu as fait Pomme Z ou pas ?

— À ton avis ?

— Comme tu as l'air de regretter, j'imagine que oui. Donc, tu l'as tué, tu es revenu en arrière, et là, tu n'as pas osé recommencer. C'est ça ?

— C'est plus complexe que ça.

Ce qui est particulier, c'est qu'on se souvient du geste qu'on a fait, des paroles qu'on a prononcées. Pomme Z permet de les effacer de l'espace-temps et de la mémoire des autres, mais pas de l'esprit de celui qui a utilisé la fonction.

On est alors détenteur d'un formidable secret, et le grand jeu mondain consiste à savoir comment l'autre a joué son joker : pour sauver sa vie ou pour ressusciter autrui, pour se soustraire à un viol ou pour ne pas y avoir participé ?

La scène escamotée demeure dans le souvenir tel un rappel de ce à quoi on a échappé.

Lorsqu'on se retrouve dans une situation similaire, on réagit instantanément. On sait qu'on n'a plus la fonction pour nous sortir de ce guêpier. La béquille s'est envolée.

Les autres ne sauront jamais qu'on a susurré « je t'aime plus que maman » à la mère de notre copain. Ou qu'on s'est coupé les veines pour une mauvaise note en mathématiques.

On peut ainsi grandir un peu moins stupide.

Ça ne règle pas les pires maux de l'humanité, mais ça les soulage. Ce qui est déjà énorme.

— Je vois bien que c'est compliqué. Écoute : tu n'es pas obligé de me raconter ce que tu as fabriqué. Moi, je ne te révélerai pas pourquoi j'ai grillé ma seule chance. Même sous la torture.

— Il vaut mieux perdre sa Pomme Z pour un acte grave que pour une broutille. Je viens de m'en rendre compte, tu peux me croire.

— Si tu veux soulager ton esprit, je t'écoute. Sinon, buvons un verre et parlons du championnat.

— Je me moque du championnat.

— Alors tu as tué son père, oui ou non ?

— Oui.

— Et après, tu as utilisé Pomme Z parce que tu avais peur qu'Inès repousse l'assassin de son papa.

— Non, ce n'est pas ça.

Ce monde-là est un peu meilleur que le nôtre.

Ici, on aurait évité quelques drames. Pas tous, mais certains qui auraient allégé le fardeau de l'humanité.

Ruby n'aurait pas supprimé Oswald.

Aucune bombe atomique ne serait tombée sur Hiroshima.

Tante Olga ne se serait pas mariée avec son batteur de femmes.

Cantat n'aurait pas giflé Marie.

Vous n'auriez pas jeté votre alliance dans l'égout.

Le deuxième avion d'American Airlines n'aurait pas percuté l'autre tour jumelle.

Ce monde est un peu différent, même s'il n'en est qu'à moitié conscient. Des bribes d'horreur lui ont été épargnées, sans qu'il sache lesquelles avec précision.

Il ressemble à une formule améliorée de celui qu'on connaît.

— Il faut t'arracher les mots de la bouche, toi ! Bon, accouche ! Sinon on va rater le début du match.

— Le père d'Inès était un rat. Il abusait d'elle depuis qu'elle avait cinq ans. Il n'a eu que ce qu'il méritait et je n'ai aucune raison de regretter de lui avoir explosé le crâne avec une cartouche à chevreuil. Ça lui a mis du plomb dans la tête.

— Inès était là quand c'est arrivé ?

— Non, j'y suis allé seul. Elle venait de me raconter les cochonneries qu'il avait encore tenté de lui infliger la veille. Ce type la tyrannisait de manière physique et morale. Elle tremblait d'effroi en m'avouant les crimes du vieux. Cette fille est un ange, comprends-tu ?

— Après, qu'est-ce qui s'est passé ?

— Hum. Après, j'ai un peu… zigzagué.

— Ça veut dire quoi, ça ?

— Ça signifie que mon comportement a manqué de rectitude et de logique.

Pour déclencher Pomme Z, c'est à la fois simple et compliqué. Il suffit de se concentrer, de visualiser les deux touches dans son cerveau, puis de les enfoncer simultanément.

Il y a aussi un système de sécurité. Lorsqu'on enclenche la fonction, une fenêtre se déclenche pour demander si on est sûr de vouloir l'utiliser et nous rappelle qu'on n'a pas droit à l'erreur.

Entendons-nous : cela demeure une opération organique et non mécanique, même si ça ressemble à un raccourci informatique. Cette manipulation n'en est pas une, puisque ça demeure mental. L'esprit visualise la marche à suivre, aussi simplement qu'il épellerait son prénom sur un clavier d'ordinateur.

— Tu as fait quoi, alors, après avoir buté le vieux pervers ?

— J'ai vidé une bouteille de bourbon et je me suis endormi sur le volant de ma voiture dans un stationnement du nord de la ville.

— Et ensuite ?

— Je suis sorti de mon coma, j'ai enclenché la première et j'ai foncé chez Inès pour lui avouer ma faute et mon amour. Il était dix heures… ce matin. Je suis entré chez elle sans sonner, j'ai monté l'escalier sans un bruit et j'ai surgi dans sa chambre sans crier gare. Elle… elle était en train de… elle était dans son lit avec un gars. Quand ils m'ont vu, les deux ont hurlé de peur.

— De peur ?

— Ouais, j'avais encore le fusil du père à la main, et du sang avait giclé sur ma chemise. Ils ont cru que je venais les descendre. Inès, cette espèce de… Elle se cachait derrière le type en le serrant comme si c'était un gilet pare-balles. Tu parles ! Il était à poil.

— Alors tu as fait Pomme Z, je suis sûr ! Pour disparaître de là.

— Ça aurait été trop simple.

Des milliers de témoignages décrivent les expériences vécues avec la fonction. Leurs auteurs relatent combien ils ont été avisés de l'utiliser dans telle circonstance plutôt que dans telle autre. Ils en profitent pour raconter leur vie et ce n'est guère passionnant.

Il est impossible de faire la part entre la vérité et le mensonge. Seule la bonne foi permet de donner du crédit à leurs histoires.

Il y a celui qui a procédé à l'avortement de la mère de Picasso, puis qui est revenu en arrière, mû par une étrange prémonition, laissant l'embryon en vie.

Les gens se valorisent, s'affichent en sauveurs de l'humanité, de la veuve, de l'orphelin et des espèces en voie de disparition.

Il n'y aura jamais de réponse, ni de vérité. Ce monde fonctionne ainsi, sans savoir qu'un autre système existe ailleurs, sans Pomme Z. Chacun survit à sa manière, avec ses propres règles.

Dans les deux cas, les hommes resteront ce qu'ils seront pour l'éternité : des improvisateurs de génie.

— Bon sang, tu vas le vider enfin, ton maudit sac !

— Ouais, on arrive à la conclusion. Tu vas voir, ce n'est pas glorieux. Donc, je suis là avec mon allure de tueur et mon arme, en face de la fille de celui que je viens de descendre. Et cette fourbe se pelotonne contre un abruti à face de gigolo.

— Tu as cinquante-sept secondes.

— Ça va vite, très vite. Il me reste à peine dix secondes. J'hésite : flinguer le bellâtre et finir ma vie derrière les barreaux, enclencher la fonction et ne pas me retrouver dans le rôle du cocu, ou cracher la vérité à Inès et m'enfuir.

— Alors ?

— J'ai posé l'arme et j'ai avoué à l'héritière que son père ne lui ferait plus de mal. Je pensais qu'elle quitterait les bras de l'autre pour se précipiter dans les miens.

— Non ?

— Elle a ricané, elle m'a lancé que je n'avais rien compris, qu'elle aimait son père plus que tout. Elle est devenue hystérique.

— Merde !

— Là, je n'ai pas hésité. J'ai fait Pomme Z. Et je me suis retrouvé juste avant ma tirade.

— Ça a dû te soulager.

— Mouais, mais tu sais qu'on n'oublie pas ce qu'on a effacé. Je la revoyais se payer ma tête.

— Forcément.

— Alors j'ai épaulé le fusil et je les ai descendus. Les deux.

— Mais pourquoi avoir fait Pomme Z ? Tu aurais pu les supprimer sans utiliser la fonction.

— Je sais. C'est ce que je t'expliquais au début : du gaspillage.

— C'est vrai que tu es con.

— Je ne te le fais pas dire.

Le bol chaud

À Nicolas et Mélanie

Vincent arriva chez lui en marchant le plus vite possible. Depuis qu'il avait quitté son bureau du centre-ville, un irrépressible besoin de se vider les intestins s'était emparé de lui.

Vincent avait déjà sorti ses clés depuis le bout de la rue. Il déverrouilla la porte en cinq secondes, pénétra dans son appartement et fonça dans la salle de bains. Après avoir quasiment arraché la braguette de son pantalon, il s'installa sur le trône.

À peine la peau de ses fesses fut-elle entrée en contact avec la cuvette des toilettes que Vincent se releva d'un seul coup. Aussi affolé que s'il venait d'être mordu par un serpent-minute.

Le plastique était chaud !

— Qu'est-ce qui se passe ici ? marmonna-t-il d'un ton catastrophé.

Son propre siège chaud ! Ça n'avait pas de sens.

Vincent regarda autour de lui, soudain conscient que quelqu'un s'était assis là un instant plus tôt.

Mais qui ? Vincent vivait seul. Il n'avait pas de femme de ménage. Sa mère avait une fois de plus disparu de la circulation sans donner de nouvelles depuis bientôt deux ans. Il ne connaissait pas son père et n'avait aucune autre famille. Personne ne possédait le double de ses clés. Alors ?

— Y a quelqu'un ? lança-t-il, un brin anxieux.

Si un cambrioleur était entré dans son appartement, il devait encore y être. Vincent l'aurait donc surpris en flagrant délit. Pire : il serait arrivé chez lui peu après que le malfrat eut allégé son côlon.

Personne ne répondit.

Vincent posa timidement sa main sur l'abattant. La mémoire des températures est très précise et là, nul doute possible : la chaleur était supérieure à ce qu'il avait l'habitude de trouver en cet endroit.

Il ôta ses doigts avec dédain, songeant qu'il ne savait pas quel postérieur s'était posé ici avant lui. En plus d'être inquiétante, la situation se révélait abjecte.

Le pantalon baissé, il effectua une dizaine de pas pour sortir la tête de la pièce. Il pencha avec crainte le cou vers la cuisine, puis vers le salon. Pas un chat en vue.

Vincent grimaça. L'urgence de sa situation le rappelait à l'ordre. Il devait malgré tout accomplir ce pour quoi il était là. Comment s'y prendre ? Il était hors de question de s'asseoir sur ce truc tiède.

Il abaissa le loquet de la porte, geste qu'il ne faisait jamais puisqu'il était seul en permanence.

Il prit une éponge, la couvrit de détergent, nettoya avec vigueur la surface souillée, rinça à grande eau, essuya et reprit la place qu'il avait quittée cinq minutes avant.

L'état du siège étant revenu à la normale, il put enfin déféquer. L'expression « se soulager » prenait là son juste sens, même si sa précipitation à en finir gâchait l'acte. En le forçant à accélérer son affaire, on lui ôtait une part de son plaisir et ça l'agaçait encore plus.

Maintenant qu'il avait réglé ce besoin naturel, il devait trouver une explication au réchauffement de l'abattant.

Pas si simple, car il venait en plus de découvrir qu'il n'y avait plus de papier hygiénique. Vincent se souvint que, le matin, il avait économisé les derniers centimètres du rouleau en pensant à son retour du soir. Il alla jusqu'au lavabo et se nettoya avec un gant de toilette. Il détestait cette sensation humide sur ses fesses, ça le répugnait. Sa fureur grimpa d'un cran.

Vincent se rhabilla. Ses yeux exécutèrent un rapide tour d'horizon de la salle de bains, à la recherche d'un objet qui pourrait lui servir d'arme. Il n'y avait pas grand-chose de dangereux en vue. Aucun intrus ne serait impressionné à la vue d'une pince à épiler, encore moins d'une brosse à dents électrique.

Il dénicha enfin une vieille paire de ciseaux rouillés, ni grands, ni pointus, mais de taille suffisante pour lui donner le courage de sortir.

Il prit une profonde respiration et bondit dans le couloir, sans savoir de quel bord il devrait chercher en premier. Si un étranger pointait son nez, il lui ferait avaler le contenu de la cuvette jusqu'à la dernière goutte.

Le souvenir des récentes sensations inhabituelles sur son fessier fouetta son orgueil, apportant un regain d'énergie à sa recherche de la vérité. On n'entre pas chez les gens sans y être invité, et on n'a surtout pas le droit d'utiliser les toilettes en leur absence.

Dans la cuisine, rien ne semblait avoir bougé. Tout y était impeccable, rangé, et personne ne pouvait s'y cacher. Il devait fouiller ailleurs.

Vincent en profita pour remplacer ses ciseaux par un long couteau à viande aiguisé la veille pour trancher le carpaccio. Il serra fort le manche et marcha jusqu'au salon, où il souleva le rideau et contourna le canapé : personne en vue.

Il passa dans la chambre, inspecta le dessous du lit et l'arrière de la commode. Pas âme qui vive à percer de sa lame affûtée.

Vincent progressait par bonds, ouvrant les portes à la volée, se dissimulant contre le chambranle avant de surgir, ainsi qu'il l'avait si souvent vu dans des centaines de séries B.

Au bout du compte, il fallait se rendre à l'évidence : il n'y avait que lui ici. Celui qui avait posé son derrière là où il n'aurait pas dû était reparti comme il était venu : par magie.

Un truc clochait. La porte d'entrée était verrouillée à l'arrivée de Vincent, et aucune des fenêtres n'était ouverte. Personne ne s'amuserait à crocheter une serrure pour faire caca chez l'habitant, puis s'ingénierait à effectuer l'opération inverse afin de refermer la demeure violée, une fois sa petite affaire accomplie. On était venu chier chez Vincent. Aucun objet n'avait disparu, les CD étaient à leur place, la télé et l'ordinateur aussi.

— Et merde ! maugréa-t-il.

Il avait déjà entendu parler de ces dégénérés scatologiques qui fantasment fort, prenant leur pied en utilisant les toilettes des autres. Plus il y a de risques et plus la jouissance est grande, paraît-il. Non mais, faut-il être fragile du cervelet pour imaginer d'aussi sordides plaisirs.

Ça dépassait l'entendement de Vincent.

Il retourna dans la cuisine, posa le couteau sur le comptoir et but de l'eau fraîche, directement au goulot de la bouteille qu'il prenait la peine de laisser au réfrigérateur chaque matin.

Que devait-il faire maintenant ? Changer les serrures ? À quoi bon ! Si la paire de verrous actuels n'avait pas résisté au maniaque, ce serait pareil avec les modèles les plus sophistiqués. Pourquoi ne pas acheter un *pitbull* enragé qu'il ne nourrirait que le soir venu ?

Il s'agissait d'oublier cette sordide affaire en espérant que l'obsédé dégueulasse ne prendrait pas l'habitude d'utiliser ses toilettes en son absence.

C'est alors qu'on sonna à la porte. Un coup assez bref, bientôt suivi par le bruit de la poignée qu'on essayait de tourner. L'envahisseur goujat revenait sur les lieux de ses saloperies.

Vincent attrapa son couteau et se précipita vers l'entrée alors que l'intrus jouait dans le barillet de la serrure avec un objet métallique. Il se plaqua contre le mur derrière lui, juste à temps. La porte s'ouvrit en silence, puis une ombre s'allongea sur le plancher. Large, imposante, effrayante. Vincent sentit la rage monter en lui. Après avoir fait ses besoins sans y être invité, le porc rappliquait-il pour prendre son bain ?

Vincent tremblait de terreur. La lumière du soir accentuait l'ambiance macabre. On évoluait maintenant dans un thriller psychologique à saveur d'hémoglobine.

La silhouette referma la porte sans remarquer que, derrière, l'occupant des lieux brandissait son instrument tranchant tel un sabre au clair. Vincent s'élança et, après trois enjambées, il sauta sur la masse sombre à la façon d'un cow-boy de rodéo sur un veau.

Le visiteur encaissa le coup, vacilla un instant, puis

s'affala par terre. Vincent, électrisé, le retourna et lui pressa la lame contre la gorge.

— Maman ! s'écria-t-il en découvrant qui gisait là.

Il ne cria pas cela par peur, mais parce que sa propre mère se retrouvait ainsi sous lui, aussi surprise et effrayée qu'il pouvait l'être.

— Qu'est-ce que tu fous là ? demanda-t-il en glissant sur le côté.

— Et toi, à quoi joues-tu ? répondit l'autre en s'asseyant sur le sol.

Il y eut un silence gêné. Le fils dévisageant l'importune visiteuse avec incrédulité.

— Mais tu sors d'où, maman ? Ça fait deux ans que tu n'as pas donné de nouvelles et tu entres par effraction.

— Je voulais te faire la surprise, Vincent.

— C'est réussi.

Vincent l'aida à se redresser tant bien que mal. Malgré son poids énorme, elle paraissait avoir maigri depuis la dernière fois qu'il l'avait vue.

— Maman ! Pourquoi tu mens ? Tu étais ici il y a dix minutes, assise sur mes toilettes, tu as même fini le rouleau. Est-ce que tu viens souvent squatter mon bol ?

La grosse femme ne répliqua rien. Elle se dirigea vers la cuisine.

— J'ai soif, se contenta-t-elle de répondre.

Vincent rejoignit sa mère. Il lui tendit un verre, le remplit d'eau fraîche, puis il but au goulot.

— Mon petit chéri, tu as l'air surmené, car je ne comprends pas un traître mot de ce que tu me chantes là. Sache, mon chéri, que je ne t'ai pas donné signe de vie depuis si longtemps parce que je préférais que tu ignores la vérité et, surtout, que tu ne cherches pas à me voir. Puisque tu veux tout savoir, je viens de passer vingt-trois mois dans une cellule pour une ridicule affaire d'escroquerie à l'assurance, je t'épargne les détails. La récidive ne pardonne pas. J'ai eu le temps d'apprendre à crocheter une serrure avec une épingle en compagnie de ma colocataire.

— Ah.

Vincent demeurait médusé. Mais, connaissant sa mère, il ne pouvait que la croire. Elle n'était pas du genre à fabuler longtemps et son parcours passé témoignait de son peu de respect des lois en vigueur dans ce pays.

— Franchement, tu aurais dû m'appeler. Et…

— C'est fini maintenant, le coupa-t-elle. Je suis sortie aujourd'hui et je suis venue ici tout de suite. Vois-tu, j'avais envie de revoir mon fils unique.

— Je comprends, merci, moi aussi, je suis heureux, mais…

— Mais quoi ?

Le fils regardait sa grosse mère avec désarroi. Ses yeux fixaient la porte de la salle de bains, puis revenaient vers la femme qui lui souriait avec amour.

— Ce n'est pas toi qui es venue il y a un quart d'heure ? insista-t-il.

Il fallait qu'il en ait le cœur net.

— Bien sûr que non. Ils m'ont libérée à huit heures ce matin, j'ai pris un autobus, puis le train de quatorze heures trente-sept. Je suis arrivée à la gare à dix-sept heures trente-cinq. J'ai mon billet, si tu ne me crois pas. Qu'y a-t-il, Vincent ? Tu es blême.

Vincent tira une chaise pour s'y reposer.

Ce fut à cet instant qu'on entendit une clé tourner dans la serrure.

Il voulait partir

À Pascal H.

Il venait d'arriver de Thaïlande où le tsunami avait ravagé les terres.

Ses valises n'étaient pas encore défaites et, déjà, il voulait repartir.

Le temps de laver ses chaussettes, d'éplucher son maigre courrier et d'arroser la plante morte et voilà, il s'ennuyait. Il fallait trouver un nouveau prétexte pour voyager peu importe où, le plus vite possible, comme s'il avait dépassé sa date limite de bonheur. N'y avait-il pas un cataclysme au Honduras ?

Après vingt-quatre heures, il ne voyait plus que l'ennui, les mêmes personnes, les gestes répétés, les habitudes.

En vérité, il voulait fuir.

Partir ailleurs, dans un pays inconnu où l'on ne parle aucune langue qu'il maîtrisait. Le choix était vaste : l'Asie entière, l'Europe de l'Est, le Moyen-Orient...

Il expédiait des dizaines de lettres aux quatre coins du Canada pour proposer ses services. Il inondait les bureaux de recrutement des ONG de ses curriculum vitæ impeccables. Il était libre sur-le-champ, paré à sauver la veuve affamée et l'orphelin mourant.

Impatient de se mettre en mouvement, il laissait la chaîne d'information continue allumée en permanence. Si ça devait péter en Bolivie, il serait le premier sur la liste des secouristes.

En attendant, il piaffait. Tournant en rond, maugréant contre l'absence de surprise, le manque d'inattendu.

Il avait besoin de découvrir pour exister.

Le quotidien le minait. La routine est assassine.

Il s'était donné trois mois. Passé ce délai, il prendrait le billet aller simple le moins cher pour la destination la plus éloignée et irait construire des huttes dans la jungle africaine ou des écoles au bas des sommets himalayens. Il faut forcer le destin, lui botter les fesses. Ce n'est pas aujourd'hui qu'il changerait son mode de vie.

Il y avait plus de soixante-dix jours qu'il s'était fixé ce délai. Il était prêt. Ses bagages étaient bouclés. Un simple coup de fil et il pouvait prendre l'avion dans l'heure. Il ne laisserait rien derrière lui. L'urgence commande.

Il n'était déjà plus présent dans sa tête. Son corps se déplaçait encore dans les rues de la ville, mais son esprit vagabondait avec délices entre Bangkok, Le Cap et Riyad. Jouissif. Il avait hâte de relier ses deux composantes, le matériel et le spirituel. Rien de tel qu'un bon tremblement de terre pour redevenir soi-même, renaître.

La moindre sonnerie du téléphone le faisait sursauter. Il se précipitait… mais c'était toujours un mauvais numéro, un vendeur de cellulaires, un testeur de l'opinion publique. Il leur raccrochait au nez — rien à foutre de ces gêneurs, ces semeurs de faux espoirs.

Un jour, un soir, son système vacilla.

Il rencontra par hasard une beauté de passage au bar d'un hôtel. Une merveille à ses yeux.

Ils passèrent la nuit ensemble. Il était déjà amoureux. Elle devait quitter la ville le lendemain. Il buvait ses paroles. Elle ne pouvait pas rester plus longtemps à cause des animaux. Quelqu'un s'en était occupé durant ces deux jours, mais, là, elle devait prendre la relève.

Non, elle ne pouvait pas attendre. Il pouvait la rejoindre quand il le désirait.

Elle partit en courant, en retard pour la traite du soir. Les vaches sont programmées ; elles ne supportent aucun délai, ça pourrait gâcher le lait.

Il la retrouva dans sa ferme dès le surlendemain. Elle lui manquait !

Inexplicablement, il se sentit vite à l'aise dans ses vieilles planches, presque chez lui. L'exploitation appartenait à la famille depuis quatre générations. La fille venait de reprendre le flambeau cédé par un père épuisé, et elle était décidée à bientôt mettre au monde une nouvelle génération qui perpétuerait la tradition.

Le choc, le changement et la passion meublèrent vite l'esprit de l'éternel vagabond sauveur de l'humanité. Il oublia les attentats de Londres et la mousson meurtrière à Calcutta, se prélassant dans l'univers campagnard qu'il découvrait, s'enivrant dans les voluptés de la fermière.

Ça relevait de l'inconcevable. Lui, l'indécrottable globe-trotter, dans la peau de l'amoureux fou d'une vachère enracinée dans son terroir. Il y avait maldonne.

Le pire, c'est le plaisir qu'il avait à la ferme. Même le chien semblait s'être pris d'amitié pour lui, se frottant contre ses jambes, l'invitant à lui lancer des bâtons et finissant par s'assoupir à ses pieds.

Lui qui détestait les animaux de compagnie, car ils ne sont que des boulets que l'on traîne sa vie durant.

Il n'avait jamais voulu d'enfants pour garder une complète liberté de mouvement. Et voilà qu'après ce court séjour elle lui avait glissé dans une phrase qu'elle le voyait dans le rôle d'un père. Un bon papa.

Il en fut déstabilisé. Dans une pulsion soudaine, il avait failli lui rendre le compliment : bien sûr qu'elle serait une mère parfaite, mais lui faire ce compliment serait revenu à revendiquer la place du géniteur. Autant baisser les bras avant d'entamer la bataille. Il s'était repris de justesse, se forçant pour ne pas murmurer son aveu.

Il ne lui avait pas trop raconté ses différents voyages. Mentant par omission, il ne lui avait pas expliqué que l'exil était une forme d'accomplissement pour lui. Il avait dissimulé la réalité sous une fausse modestie de scout prêt à sauver son prochain. Que dire à cette jeune agricultrice qui ne pensait qu'à ses récoltes et qui avait déjà planifié son avenir pour les trente prochaines années ?

Vivre douze mois les deux pieds dans la boue dépassait son entendement.

Pourtant, il se sentait fondre dans ses draps…

Il ne pouvait demeurer ainsi, passif.

Il avait la désagréable impression de piétiner. Il s'agissait de se ressaisir, de réveiller l'aventurier qui commençait à s'assoupir en lui.

Cela dura une semaine, jusqu'à ce que la piqûre du voyage le reprenne alors qu'il feuilletait le journal du dimanche. Un ouragan de force 4 nommé Julia menaçait de s'abattre sur la côte ouest de l'Afrique. On n'était pas encore sûr de sa trajectoire, mais tout portait à croire qu'il frapperait de plein fouet la Guinée, la Sierra Leone ou le Liberia. Voire les trois.

Il lui avait montré l'article, espérant déclencher chez elle la même pulsion que celle qui l'animait. Elle feuilleta distraitement le quotidien, à la recherche des petites annonces qu'elle trouvait plus amusantes à lire.

Il décida de revenir en ville. Il avait besoin de réactiver ses contacts. Rappeler si nécessaire qu'il suffisait de lui faire signe pour qu'il accoure. Ses valises n'avaient pas été rangées.

Pourtant, il avait du mal à se concentrer. Il ne pensait qu'à elle. Il l'appelait plusieurs fois par jour.

Et puis, deux soirs plus tard, miracle : l'ouragan se déchaîna sur des kilomètres carrés, pulvérisant tout sur son passage. Les populations déjà pauvres se retrouvèrent sans ressources. La tâche salvatrice lui lançait son appel.

Il reçut le coup de fil à dix-neuf heures et poussa un cri de joie en raccrochant. Enfin ! On n'avait pas de temps à perdre. Les victimes se comptaient déjà par dizaines de milliers.

Il décida de lui dire adieu. Cette ultime rencontre le préoccupait plus que Julia.

Il ne laissa rien paraître. À quoi bon heurter celle qu'on adore ? Pourquoi gâcher ces derniers moments de pur bonheur ?

Les retrouvailles furent intenses. Ils firent l'amour dans la paille, dans le lit, sur la table de la cuisine, puis devant le regard indifférent des passifs ruminants.

Ils mangèrent cru le boudin du cochon tué la veille. Ils se baignèrent dans la rivière.

Il voulut lui expliquer pour la catastrophe, mais il

se retint *in extremis*. Était-il devenu si dépendant de cette diablesse ?

Il dut inventer un mensonge facile pour retourner en ville. Elle rougit de plaisir quand il lui annonça qu'il irait le lendemain chercher ses affaires, car il avait décidé de s'installer ici, à la ferme. Avec elle pour l'éternité. Sa sincérité était si bien feinte. Il désirait s'investir auprès d'elle. Avoir des enfants.

À l'aube, il fonça chez lui.

Il attrapa ses malles, appela un taxi. Direction : l'aéroport. Il pleuvait. Il pleurait.

Il se trouvait misérable, tellement égoïste. Mais il ne pouvait plus rebrousser chemin. Son destin l'appelait loin de cette terre, auprès de Julia et des corps déchiquetés dans une langue étrangère.

Ébranlé par ce départ forcé, il eut du mal à franchir les douanes. Il le devait, pourtant. Il avait voulu partir et il partirait.

L'airbus décolla avec trois heures de retard, ajoutant à son désarroi.

Après une longue courbe aérienne, l'engin survola la région au sud. En bas, il crut reconnaître la ferme, les prés, le chemin.

Il était parti, il n'avait plus rien à prouver ici.

Quand on retrouverait le corps de la fermière, il serait déjà loin, sauvant des Algériens, des Turcs ou des Texans. Utile à l'humanité, sous un autre nom, avec une nouvelle existence. Il en aurait peut-être déjà assassiné une autre. Sa vie était ainsi depuis si longtemps.

L'amour représentait un danger pour un chevalier de l'humanitaire de sa trempe.

Dollarama

À l'époque, j'étais plutôt du genre fauché. Je me débrouillais au jour le jour, avec les moyens du bord. Ça signifiait une alimentation riche en pâtes, en riz et en pommes de terre, des habits dénichés dans les friperies, la bibliothèque pour les livres, et les concerts gratuits des festivals estivaux en ville. Je serrais les fesses pour que mon propriétaire ne se décide pas à réajuster mon loyer miraculeusement sauvé de la flambée générale des prix.

Je tenais bon. Je n'avais pas à me plaindre, il y avait pire pas si loin au sud. Je lisais de nombreux ouvrages de rhétorique et de sémantique, meublant avec discernement mes temps morts d'intellectuel sans le sou.

Parfois, pourtant, il fallait acheter des choses neuves : un ustensile de cuisine, un cadeau, du dentifrice, des lames de rasoir… Je faisais alors les courses au magasin à un dollar à cinq cents mètres de mon appartement. C'est insensé la quantité d'articles que l'on peut trouver dans ce genre de commerce. On se demande comment ils parviennent à pratiquer cette politique systématique de prix dérisoires.

En vérité, j'y allais encore plus souvent depuis qu'ils s'étaient mis à vendre des boîtes de conserve.

Ils devaient racheter pour une bouchée de pain de vieux stocks d'invendus et les écoulaient sur leurs tablettes pour mon plus grand plaisir. Je m'étais ainsi offert plusieurs orgies de pêches espagnoles, de cœurs d'artichauts mexicains, de haricots rouges du Costa Rica et de plein d'autres conserves *cheap* qui me nourrissaient en variant mon quotidien.

Ce jour-là, j'étais en quête d'un gros achat. Je venais de finir un contrat de peinture dans un appartement et j'avais décidé de me payer un objet symbolique pour marquer l'événement. Rien de comestible ni de bassement pratique comme du savon à vaisselle ou de la moutarde préparée. Non, un véritable signe extérieur de modernité capitaliste : un poste de radio.

J'en dégotai un dans mon magasin préféré et il me plut de trouver ce type de produit valant plus que un dollar dans un commerce dont l'entrée était surplombée d'un immense « TOUT À 1 $ ».

Le transistor était rouge, avec une forme arrondie genre rétro, une antenne télescopique et un lecteur de cassettes. Le grand luxe pour onze gros dollars avant taxes. Je le saisis par sa poignée amovible et le présentai à la caisse, ainsi qu'une boîte de raviolis de marque inconnue.

Nous étions vendredi. Ça sentait la fiesta.

Je suis rentré au pas de course et, aussitôt arrivé chez moi, j'ai branché l'appareil. J'ai appuyé sur le bouton de mise en marche.

Ça a déclenché un gros BZZZZZ.

Je l'ai retourné, paniqué. J'ai lu l'inscription : *Made in China.*

Ça augurait mal, même si je savais que quatre-vingt-quinze pour cent des articles vendus dans la boutique pas chère provenaient de la République populaire de Chine. On ne sait pas trop qui en pâtit le plus : les ouvriers chinois s'échinant dix heures par jour pour un salaire de misère ou les chômeurs occidentaux ayant l'impression d'exister parce qu'ils continuent à consommer. Leurs enfants font pareil en jouant au marchand avec des caisses enregistreuses en plastique et des billets de Monopoly.

N'empêche, j'étais un très bon client dans cette boutique et ma récente acquisition me démarquait de façon définitive de la masse anonyme. J'appartenais dorénavant au club sélect de ceux qui ont déjà acheté un article coûtant onze dollars dans un magasin pour les fauchés professionnels.

Ça méritait qu'on s'y attarde.

J'ai vérifié le branchement. Le câble noir semblait parfaitement emboîté dans la radio ainsi que dans la prise murale.

Ensuite, les boutons de réglage. Il y en avait deux : le premier permettait de choisir entre *tape*, radio et *off*. Il était au bon endroit. Le second permettait de sélectionner la fréquence. J'ai poussé le bouton de FM à AM. Le BZZZZZ s'est transformé en FZZZZZ. On progressait, mine de rien.

Il fallait maintenant tester la fonction magnétophone.

J'ai inséré une vieille cassette de Chet Baker. Le moteur a entraîné la bande, et la voix magique a jailli, interprétant *Everything Happens to Me*. Il y avait plus de huit ans que je n'avais pas écouté cette chanson, alors je ne me suis pas trop attardé sur la vitesse de lecture plus qu'un peu ralentie. Au moins, l'appareil avait quelque chose dans le ventre : un vrai haut-parleur accouplé à un système chinois de lecture audio.

Je me suis arraché à l'écoute de ce monument du jazz pour revenir à la fonction radio de mon acquisition — une grosse tache rouge sur ma table de cuisine.

J'ai mis la boîte de raviolis à réchauffer au bain-marie, puis j'ai titillé le curseur entre radio et *tape*, pressentant un mauvais contact. En reposant l'appareil, j'ai entendu un bruit à l'intérieur. Léger, mais inapproprié. J'ai secoué la radio ; il y avait un truc qui se promenait en liberté là-dedans !

J'ai pris un couteau pour desserrer les vis cruciformes. Il y en avait trois, dont deux enfoncées dans les profondeurs de cavités cylindriques. À ce stade-ci, j'aurais encore pu rapporter l'appareil là où je l'avais acheté, sauf que la fureur du bricoleur s'était emparée de moi. Les radios chinoises à onze dollars étaient-elles garanties ? J'avais omis de poser la question à la caisse. Bon, j'avais ma facture, ma preuve d'achat survenu une demi-heure plus tôt ; j'aurais pu échanger ma marchandise.

Trop tard. La lame avait déjà entamé le plastique rouge et je la tournais afin d'enlever de minces copeaux qui me permirent d'atteindre les vis. Je venais d'enfreindre la sacro-sainte loi de la garantie qui ne s'applique que si l'on n'a touché à rien, mais mon impatience m'empêchait de retourner au magasin.

J'ouvris l'appareil en prenant soin de ne pas arracher le fil reliant le haut-parleur d'un bord à un circuit imprimé de la taille d'un paquet de vingt cigarettes de l'autre bord. J'inspectai l'intérieur de cette machine que des petites mains asiatiques avaient assemblée pour des clopinettes. Il n'y avait pas grand-chose à voir.

Sauf un grain de riz sec qui reposait au fond.

Je le glissai sur la table en inclinant la partie avant de la radio. Puis, avant de refermer, je tentai de faire fonctionner l'appareil. Une pub tonitruante pour du shampoing qui provoque une jouissance immédiate me permit de vérifier que je venais de le réparer.

Un sourire large comme une tranche de pastèque me barra le bas du visage.

J'ai replacé les vis sans éteindre et j'ai tourné la roulette pour changer de poste. Ça fonctionnait. L'antenne haut dressée, je captais cinq stations différentes. Mon existence changeait ainsi du tout au tout. J'allais enfin vivre au même rythme que mes voisins ; écoutant la météo avant de sortir de chez moi et ne m'affolant plus en cas d'éclipse totale.

Il restait ce grain de riz venu de loin en passager clandestin. La décence m'interdisait de le jeter tel un malpropre.

Je l'ai observé avec attention. Un grain rond, blanc, identique à des centaines de milliards d'autres grains.

Je l'ai poussé sur une dizaine de centimètres avec l'ongle de mon index.

C'est alors que la radio a cessé de fonctionner.

Fallait-il voir là une relation de cause à effet ?

J'ai remis la fonction cassette, et la voix de Chet Baker est réapparue, aussi lente. Je suis revenu en mode radio : rien.

Par acquit de conscience, j'ai secoué l'appareil : le même léger son qu'auparavant résonnait à l'intérieur. Il devait y avoir un autre grain que je n'avais pas repéré la première fois.

Couteau, vis, copeaux ; j'ai rouvert l'appareil et j'y

ai en effet découvert le frère jumeau du grain sur la table. Je l'ai posé près de l'autre : le son est revenu. J'ai refermé l'ensemble et je l'ai laissé en place, sans oser toucher au riz.

Mes raviolis étaient prêts. J'ai vidé la boîte dans une assiette creuse et je me suis installé à la table. J'étais affamé. Ça sentait bon. Un coup d'œil sur l'emballage m'a appris que les pâtes provenaient d'Albanie. Un simple bras de mer sépare ce pays de l'Italie : j'imagine que ça doit aider pour la préparation de mets latins.

J'ai mangé avec appétit. Les raviolis avaient un goût particulier, mais la date de péremption étant presque atteinte, on pouvait comprendre que ce séjour prolongé dans la tôle ait un tant soit peu affecté les qualités organoleptiques du plat.

La radio jouait toujours. Les grains sur la table n'avaient pas bougé d'un poil.

C'était le bonheur.

J'ai léché la sauce tomate jusqu'à la dernière trace. Un dollar le repas avant taxes, c'est impossible à battre.

En reposant l'assiette, ma main a frôlé un grain. L'émission musicale a aussitôt cessé d'être transmise. Silence radio.

J'avoue aujourd'hui que j'ai eu peur. Très peur.

Se pouvait-il que les deux grains de riz fussent de microscopiques émetteurs sensibles au mouvement ? Les Chinois auraient-ils inventé ce diabolique système pour rendre fou les chômeurs occidentaux dans le but de créer un indescriptible chaos ?

Servais-je de cobaye pour un nouveau système de télécommande miniaturisé ? On ne m'avait jamais parlé de ce phénomène dans mes cours à l'université. Pourtant, j'avais étudié de nombreuses années.

Je devais absolument agiter la radio pour en avoir le cœur net. Si la présence d'un autre grain se faisait entendre, je devrais sans doute rapporter l'appareil au magasin et en choisir un autre qui ne présentait aucun comportement suspect.

J'ai fixé l'appareil une quinzaine de secondes. Il aurait explosé que ça ne m'aurait pas étonné. Un Chinois en serait sorti que je l'aurais accueilli sans sourciller.

Je n'étais pas l'objet d'une hallucination, ni sous l'emprise de l'alcool ou d'une quelconque substance hallucinogène. Les raviolis ne pouvaient avoir provoqué un effet inattendu, car le phénomène avait débuté avant que j'avale mon repas.

Je me suis levé, j'ai marché jusqu'au mur du fond de mon logement et, après avoir franchi ces trois mètres, je suis revenu. J'ai recommencé, encore et encore. Je me creusais la tête en même temps que je commençais à imprimer mon sillon dans le plancher en pin.

«Le magasin à un dollar… La radio… La Chine… Chet Baker… Le premier grain de riz… La panne… Les raviolis… Le deuxième grain de riz…»

Une litanie sans queue ni tête. Quel rapport établir entre Chet Baker et le magasin à un dollar? Entre les Chinois et les raviolis? Aucun. La logique se cabrait. Je devais théoriser sur une nouvelle voie.

«Le magasin à un dollar… La radio… La Chine… Chet Baker… Le premier grain de riz… La panne… Les raviolis… Le deuxième grain de riz…»

Je savais que si je reprenais le poste rouge et que je

le secouais, il y aurait un bruit. Si je l'ouvrais, il y aurait un troisième grain. La radio fonctionnerait de nouveau… jusqu'à ce que je touche le riz. Et ainsi de suite, *ad nauseam*.

L'explication se trouvait ailleurs. Je n'étais pas dans une histoire fantastique sans explication rationnelle, pas plus que dans un banal fait divers. Je me situais dans une autre dimension.

Mais laquelle ? La quatrième ? La dix-neuvième ?

J'ai effectué mes allers et retours durant une heure, tel un moine psalmodiant une prière dénuée de la moindre clarté salvatrice.

Je recommençais à avoir faim, mais mes finances ne me permettaient pas de manger avant le lendemain matin. Il me fallait serrer les dents pour tenir le coup, en buvant l'eau du robinet.

J'ai eu la révélation en avalant le contenu de mon verre. C'était on ne peut plus limpide. Le magasin à un dollar, la radio, la Chine, Chet Baker, le premier grain de riz, la panne, les raviolis, le deuxième grain de riz : j'évoluais en pleine allégorie. Comment n'y avais-je pas pensé plus tôt !

Façon de parler concernant la simplicité : dans quelle allégorie m'étais-je fourré ?

Qui étais-je censé personnifier dans cette histoire ? Moi-même ou l'archétype du *loser* — célibataire chômeur intellectuel plutôt laid ?

Quand on attrape un fil, il faut tirer dessus et tout l'écheveau finit par se dévider. J'ai donc commencé par un bout.

J'incarnais le prolétaire blanc, pauvre chez lui mais riche aux yeux de la planète.

En me rendant dans le magasin à un dollar, je

symbolisais la société de consommation capitaliste qui exploite le tiers-monde.

En plus de profiter des peuples pauvres, je les affamais petit à petit (les grains de riz dans la radio rouge *Made in China*).

Et pour ne pas voir la réalité en face, je me gavais d'émissions stupides — les raviolis — qui endormaient ma réflexion et soulageaient ma conscience.

Cela se tenait à peu près.

On pouvait comprendre que Chet Baker s'était retrouvé là par hasard.

Un seul élément demeurait incompréhensible : pourquoi l'acte de bouger le symbole de la famine des opprimés faisait-il se taire l'instrument de propagande du capitalisme sauvage ?

Pas évident.

Devait-on voir là une figure plus proche de la prosopopée ? Je compris que non, car les grains ne disaient rien. Ils se contentaient d'agir en tant que déclencheurs.

Alors ?

J'ai saisi la radio, je l'ai secouée : aucun grain n'émettait aucun son dans la coque en plastique. Pire : la voix d'un présentateur a ressurgi, couvrant le BZZZZZ de ses nouvelles sportives.

Il n'y avait donc qu'un faux contact. Les deux grains n'avaient été que des coïncidences. Mon allégorie ne valait pas un Nobel.

Je me suis assis, j'ai jeté le riz dans l'évier, j'ai regardé le poste qui continuait de fonctionner.

J'avais l'air d'un cave.

Finalement, j'ai rapporté la radio au magasin en prétextant qu'elle ne fonctionnait pas du tout. Ils n'ont pas fait d'histoire — je suis un bon client. Ils ne m'ont pas remboursé, mais m'ont permis d'échanger la marchandise.

Je suis revenu chez moi avec onze dollars en boîtes de raviolis. Ça n'a pas une grande valeur nutritive, mais c'est plus facile à digérer question rhétorique.

Je me tue et j'arrive

En arrivant dans l'appartement sombre, on devinait tout de suite ce qui clochait en découvrant ce pied qui dépassait par la porte du séjour, dans un angle pas naturel.

Au bout du pied, il y avait un type dans la vingtaine, cheveux rasés, torse nu, écroulé par terre. Il portait la main gauche à sa gorge, l'autre était tendue en avant. Et ce regard... La peur s'y lisait encore.

C'est Malika, la femme de ménage, qui avait découvert le cadavre. Elle venait chaque mardi chez M. Nic, mais elle ne le voyait jamais, il travaillait nuit et jour. Malika ne l'avait rencontré qu'une fois : quand il l'avait engagée plus de six mois auparavant. Depuis, elle avait sa clé et trouvait ses quatre billets de vingt dollars impeccablement alignés sur le comptoir de la cuisine avec une règle en aluminium posée dessus pour les empêcher de s'envoler — cela alors que les fenêtres étaient closes en permanence.

L'employée de maison raconta le peu qu'elle savait aux policiers. Un grand et jeune inspecteur prenait des notes dans son carnet. Il s'appelait Lefebvre et souffrait d'un tic disgracieux : lorsqu'il réfléchissait, il se relevait les narines à l'aide de la deuxième phalange de son index gauche. On sentait la timidité dans ce geste incontrôlé. Son manque d'expérience renforçait le problème et, certains soirs, ses orifices nasaux béaient autant que ceux d'un percheron essoufflé.

Oui, Malika avait déjà vu des vêtements féminins traîner dans la chambre. On trouva sans difficulté les coordonnées d'une certaine Célia sur le téléphone sans fil de Nic. L'inspecteur l'appela en utilisant l'appareil du défunt. Célia répondit après deux sonneries :

— Nic, où toi été ? À quoi tu jouer ?

Le ton oscillait entre la peur et la colère. L'inspecteur se racla la gorge, prit la voix la plus virile qu'il put et demanda à l'anglophone de rappliquer.

Célia arriva très vite. Elle semblait affolée.

On lui intima l'ordre de s'asseoir. Elle expliqua qu'ils ne se fréquentaient que de temps en temps, sans trop de sérieux. La dernière fois qu'elle avait vu Nic, c'était il y a deux jours, mais hier…

— Quoi, hier ? grogna Lefebvre.

Elle raconta qu'ils avaient prévu se retrouver au cinéma, mais que Nic l'avait appelée vers vingt et une heures pour lui laisser un message terrible :

— Je me tue et j'arrive, lui a dit. *Yes, exactly like this* : je me tue et j'arrive, souffla-t-elle.

Lefebvre se retourna presque entièrement la peau du pif en entendant cela. Célia avait cru à une blague — Nic était un adolescent attardé, malgré ses vingt-six ans. Il faisait toujours des *bad jokes*. Alors elle était allée voir le film avec une copine en espérant qu'il les rejoindrait. Mais là…

— Là, il s'est suicidé, trancha l'inspecteur.

— *It's impossible*, sanglota la jeune femme.

Une chose chiffonnait Lefebvre : comment Nic s'était-il donné la mort ? Les agents n'avaient pas trouvé d'arme dans l'appartement, ni de boîtes de médicaments vides, encore moins de traces de lutte. Avait-il avalé un poison ? Avait-il succombé à une surdose ? Célia affirma qu'il ne prenait pas de drogue — à peine un whisky de temps à autre pour se détendre après ses longues journées de travail. Le gars devait être malade.

La belle effarouchée avait les clés de chez lui. Elle aurait pu procéder sans problème, surtout si son amie lui fournissait un alibi. À vérifier. L'inspecteur lui demanda s'il pouvait écouter le fatidique message de Nic.

— Non. Je l'ai effacé, il me créait le chair de la poule.

Tiens donc, songea l'inspecteur en tentant de ralentir l'inexorable progression de sa main gauche qui remontait vers le milieu de son visage.

On emporta le corps pour l'autopsie.

Lefebvre détestait les gars qui mouraient de façon non conventionnelle. On lui avait expliqué à l'école que c'étaient les pires des emmerdeurs. Ils compliquaient la vie des policiers, les obligeaient à accumuler des heures supplémentaires et finissaient par leur donner l'impression d'être des incapables.

Il alla manger un sandwich dans un petit restaurant miteux où personne ne le regardait de travers en repérant sa dégaine de flic. Les vieux policiers, on les craint, alors que les jeunes, ça énerve. Là, il passait inaperçu en mordant dans les bouts de dinde fumée. La dinde est un aliment vivifiant qui permet de reprendre des forces. Lefebvre en avait besoin.

Il retourna dans l'appartement de Nic. Il farfouilla au hasard, cherchant ce qui aurait pu lui échapper dans la matinée.

Il n'y avait pas grands indices à grappiller. De vieux bouquins qui devaient dater du secondaire, des magazines d'autos transformées, des glaçons en forme de +... Rien d'inattendu chez un homme de cet âge. Dans le séjour, une télé à écran plat trônait au centre de la pièce, entourée d'une chaîne stéréo, d'un ordinateur portable, de CD gravés sur lesquels on avait inscrit au feutre rouge des appellations bizarres : PSO, Znort 3.5, Chtik... Ça ressemblait à des noms de groupes de hard rock, pensa Lefebvre.

Il se garda la visite à la famille pour la soirée, quand les travailleurs sont revenus du boulot, et décida de rencontrer l'employeur de Nic, une grosse firme informatique installée à Montréal.

Lefebvre se retroussa le nez et quitta les lieux en maugréant. Il ne pouvait pas rester ainsi dans le brouillard, ça lui donnait envie de boire de la bière.

Il arrêta un taxi et lui donna l'adresse de la compagnie dont Nic était un salarié jusqu'à la veille au soir : Loud Confusion.

Il descendit de la vieille Chrysler juste en face d'une grande bâtisse en brique dans le Mile-End. À l'intérieur, un silence de mort régnait : on veillait le collègue défunt ou quoi ?

Un cri rauque surgit soudain, suivi de deux autres, proférés par trois des quarante employés penchés sur leur PC, gros casque d'écoute sur les oreilles — le décor idéal pour tourner un *Metropolis* version Silicon Valley. Personne n'avait réagi aux hurlements.

Une passerelle métallique surplombait la scène

déprimante où un jeunot, habillé en sans-abri propre, attendait Lefebvre. Le gamin tendit sa carte professionnelle, et le flic apprit que le patron de Loud Confusion, la fameuse entreprise qui employait cent cinquante personnes à Montréal et qui venait d'ouvrir des bureaux à Tokyo et à San Francisco, était ce blanc-bec au teint pâle. Il aurait pu être le jeune frère du flic. Ce gars semblait moins âgé que lui et il dirigeait une grosse boîte, déjeunait avec des ministres et passait ses fins de semaine sur le yacht de Bill Gates.

— À quoi travaillait Nic ? questionna l'inspecteur qui avait hâte de sortir de là.

Mais son interlocuteur fut coupé par le râle guttural d'un grand Chinois juste en dessous d'eux. Le nouveau millionnaire sourit en expliquant :

— Il vient de perdre.

Ce lieu et ses occupants déprimaient Lefebvre. La moyenne d'âge des employés correspondait au sien, et il se rendait compte à quel point un gouffre les séparait. Ça l'agaçait, et il jeta un regard interrogatif à l'autre face de créatif pour qu'il réponde enfin à sa question.

— Nic testait un jeu appelé Znort, dans une nouvelle version hyper féroce.

Lefebvre hocha la tête. Penser qu'il y avait des gens payés pour jouer, ça le dépassait.

Il demanda où se trouvait le bureau de Nic et s'y fit accompagner par une employée au physique affolant — quelque part entre celui d'une Lolita et de la maman d'Alien. Son tic devint compulsif. Sa gêne l'empêchait de réfléchir, de prendre un peu de recul, de noter ce qui clochait dans cette entreprise. On cherchait à le mêler, semblait-il. Sinon, pourquoi dépêcher ce pétard pour la visite guidée de l'enquêteur ?

Au Québec, les statistiques révèlent que la profession la plus dangereuse est celle de pompier, suivie par celles d'ouvrier du bâtiment et de chauffeur de taxi. Alors que risquait ce branleur de Nic assis sur sa chaise en inox ?

L'inspecteur ne remarqua rien de particulier là où Nic passait ses journées à s'amuser, à part une pile de disques qui traînaient sur une étagère. Il en prit un et le montra à son escorte.

— Je n'y connais rien, moi ; je travaille juste au design ici. Demandez plutôt à Orazio, gazouilla la brunette en indiquant le plus proche collègue de Nic.

Lefebvre jaugea un apprenti à peine pubère qui martelait son clavier à la façon d'un parkinsonien. Sur l'écran, l'inspecteur observa les images animées d'un jeu vidéo stupide où il fallait tirer sur des silhouettes de carottes enragées qui surgissaient de partout.

Quand il vit Lefebvre lui faire signe, Orazio cria fort à cause des pétarades dans ses écouteurs :

— JE ME TUE ET J'ARRIVE !

L'inspecteur bondit : il tenait son assassin. Cet abruti venait de se trahir. Il savait que cette pseudo-réussite d'entreprise cachait une embrouille. Il empoigna Orazio, le jeta par terre. L'autre ne comprenait pas.

— Qu'est-ce que tu viens de gueuler ? postillonna Lefebvre.

— Euh, je ne sais pas… Je me tue et j'arrive. C'est grave ? bredouilla le ludique informaticien.

— Tu sais ce que ça signifie, petit con ?

Orazio eut du mal à répondre tellement Lefebvre serrait fort le col de son chandail à l'effigie des Strange Carpets. Il haletait.

— Ben oui, pour finir très vite la partie, j'y vais à fond sans me protéger... j'essaie d'aller le plus loin possible... Ça fait un gros *buzz*... L'adrénaline grimpe... Un *trip* kamikaze où tu perds vite tes vies, conclut-il en tentant de se redresser.

Trente regards étaient maintenant braqués sur Lefebvre. Trente post-adolescents qui lui signifiaient qu'il ne devait pas insister. Ça tombait bien, parce que l'inspecteur en avait marre de voir leurs faciès de cyberattardés.

Il se sentit soudain vieux et relâcha son suspect qui n'en était plus un. Il souleva le bout de ses naseaux fatigués, haussa les épaules et repartit sans saluer personne. Bande de débiles !

De retour au poste de police, il trouva le rapport du médecin légiste qui révélait que Nic était décédé par suite d'un simple arrêt cardiaque.

Lefebvre ouvrit le dossier de l'enquête commencée le matin et écrivit sa conclusion en grosses lettres noires : *Accident du travail.*

Ça fictionne

Nous étions coincés pile dessus.

Bloqués à cheval sur la frontière nord des États-Unis, en direction du Canada.

Une heure plus tôt, l'autobus s'était garé le long d'un bâtiment gris de la douane, pour les formalités d'usage. Nous étions descendus à la queue leu leu afin de présenter nos preuves d'identité. Profil bas, calme plat — « rien à déclarer » en guise de formule consacrée. J'avais exhibé ma carte de journaliste, histoire de signifier que je n'étais pas un vulgaire touriste, plutôt un travailleur de l'information sur le qui-vive.

Je revenais d'un séjour d'une semaine dans le Bronx pour un reportage sans compromis sur le proxénétisme blanc chez les Noirs. J'avais de quoi écrire un papier puissant, avec un angle inédit. Un travail d'investigation acharné que je pratique par respect pour mes lecteurs. Je ne raconte que ce que j'ai vécu. Mon maître, le grand Albert Londres, aurait été fier de moi.

Après avoir regagné nos places, nous avons patienté en regardant le soleil se lever dans la brume. Des voix endormies s'accrochaient à leur séjour dans la Grosse Pomme ou échafaudaient des plans pour le réveillon du nouvel an qui aurait lieu le soir même.

Le temps filait.

Une heure d'attente peut sembler longue, surtout sans aucun commentaire officiel, sauf si vous prenez des notes à chaud. Un magazine torontois m'avait commandé quatre feuillets sur les rapports amour-haine que nous entretenons avec nos voisins du sud et je sentais que je tenais là une bonne piste.

Un douanier est monté dans l'autobus. Il nous a dévisagés l'un après l'autre, comme s'il voulait rendre son passeport à quelqu'un qui l'aurait oublié. Il a désigné une jeune Asiatique habillée en léopard et un étudiant français qui parlait fort avec son voisin haïtien. Il leur a intimé de le suivre.

On a senti que quelque chose d'anormal venait de se produire, et chacun y est allé de sa théorie, de ses suppositions. Moi le premier, je griffonnais dans mon calepin, décrivant la scène et ses protagonistes. On ne peut pas inventer mieux que la réalité.

Quinze minutes ont passé avant que les deux passagers regagnent leurs sièges en expliquant qu'ils venaient de subir un interrogatoire en règle. Puisqu'ils étaient libres, on devait pouvoir repartir. Mais où était le grand Noir qui nous avait clairement annoncé à notre embarquement : «*You smoke, you walk*»? Notre chauffeur n'était pas de retour derrière son volant.

Un second douanier nous a rejoints pour sélectionner ses suspects. Il est reparti avec l'Haïtien, un Québécois silencieux et une vieille Italienne qui paraissait paniquée.

Les passagers de cet autobus formaient un *casting* parfait pour ce genre de suspense. Dans mes cours de journalisme, un de mes profs expliquait que parfois la réalité «fictionne». Il désignait ainsi ce moment particulier où le cours des choses se dérègle et passe en mode inattendu.

Nous étions en train de *fictionner* et je n'en perdais pas une miette.

Nous étions maintenant immobilisés depuis deux longues heures. À cent mètres de nous, des autos passaient la douane sans que personne prenne la peine d'ouvrir leur coffre. Drôle de contraste.

Le chauffeur est enfin revenu, et tout le monde a poussé un soupir de soulagement. Mais il n'a pas mis le contact. Lui aussi attendait.

Un couple dans la trentaine a engagé la conversation avec lui. Nous avons alors appris pourquoi nous étions retenus là : un sac de plastique contenant de la marijuana avait été trouvé dans la soute à bagages. Un dépôt anonyme, posé parmi les valises.

Les douaniers cherchaient donc son ou sa propriétaire, sans autre indice que la certitude qu'il ou elle était à bord.

L'information a circulé d'avant en arrière. Nous nous sommes tus, nous nous sommes dévisagés : qui était l'auteur de ce mauvais coup ? Mon voisin ? Cet anglo à la face de *dealer* ? L'Asiatique qui glapissait maintenant en expliquant qu'elle se rendait à Montréal pour un défilé de mode et que, si ça continuait, elle arriverait trop tard et n'aurait plus qu'à rebrousser chemin ?

J'ai senti un puissant courant de suspicion se propager entre les rangées. Chacun se méfiait de l'autre. Palpable et formidable !

Les trois derniers interrogés sont revenus sans apporter de renseignements intéressants. Le douanier du début a refait son apparition, prenant son temps, demandant soudain son nom à celui qui ne s'y attendait pas. Plongeant son regard dans les yeux des trente-cinq coupables potentiels. Il a de nouveau désigné l'étudiant français, plus l'anglo à face de *dealer* et un Portoricain ne parlant que l'espagnol.

Nous ne pouvions ni descendre pour nous délasser, ni nous soulager aux toilettes, ni acheter un café.

Juste prendre notre mal en patience.

Le chauffeur a expliqué que la technique était de jouer avec nos nerfs. Le premier ou la première qui montrait des signes de nervosité s'autodésignait comme délinquant.

Après vingt-cinq minutes, les derniers élus ont rejoint leur place. Les mots « fouille corporelle » ont circulé. On avait soudain du mal à avaler notre salive.

Et mon article prenait forme plus vite que je ne l'aurais espéré.

Les allers et retours ne ralentissaient pas. La mannequin avait été rappelée et ses valises, passées au crible. Trois nouveaux passagers ont pris le chemin de la sortie. Plus personne ne plaisantait après chaque prélèvement dans notre micropopulation.

La faim nous tenaillait. La colère montait. Faut-il être stupide pour espérer dissimuler de la mari dans un autobus !

Nous avons finalement vu l'étudiant français, l'Haïtien et le jeune anglo qui traversaient la route, escortés par deux douaniers à la mine sombre.

Le chauffeur est remonté. Il a démarré et nous sommes alors repartis. Notre immobilisation avait duré deux cent cinquante minutes. Nous avons jeté un coup d'œil sur nos trois compagnons qu'on laissait là, sans savoir ce qui les attendait.

J'ai dépeint cet instant parfait au dos de mon carnet où il n'y avait plus une seule page blanche. Les articles écrits resteront à jamais meilleurs que la mauvaise théâtralité télévisuelle.

Tout le monde s'est mis à parler en même temps, soulagé de ce départ et un peu fautif d'abandonner ainsi trois innocents. Qu'y pouvions-nous ?

Moi, un peu plus que les autres.

J'ai pensé au sac de marijuana que j'avais dissimulé dans la soute, puis à mon bref appel pour avertir les autorités. Parfois, le quotidien a besoin d'un petit coup de pouce pour mieux *fictionner*. Je tenais mon papier, je pouvais dormir tranquille jusqu'à Montréal.

Le musée des odeurs

Difficile de définir avec précision la puanteur qui règne dans l'appartement. Un atroce mélange de vomi, de putréfaction et de vanille. C'est cette dernière présence qui s'avère la plus surprenante : qu'est-ce que cet effluve de vanille fabrique au milieu de ce remugle ?

Dans ces cas-là, on ne discute pas. On remonte ses manches, on fixe bien le masque sur son visage et on cherche. Toute odeur a une origine, c'est scientifiquement prouvé. M. Marcel me le répète chaque matin avant de m'envoyer en mission aux quatre coins pollués de Montréal :

— Si ça empeste la merde, t'es dans le caca. Si ça embaume la rose, t'es chez Natacha, ânonne-t-il de sa voix nasillarde.

Il a raison.

Mais la vanille mélangée au faisandé, ce n'est pas prévu dans le manuel. Je vais demander une prime, si ça continue. Je ne suis pas devin, moi, je suis technicien supérieur en locaux empuantis. On m'appelle pour désodoriser des condos transformés en décharge publique. Pour supprimer les relents de poisson frit, les pestilences causées par la pourriture ou les chiens *mouffettés*. Je suis un pro. En vingt-cinq années d'interventions, aucune exhalaison ne m'a résisté. Je tue l'agresseur fétide aussi sûrement qu'un mastiff pubère réglant son compte à un bichon toiletté.

Je suis le meilleur pif sur l'île. Je repère un pet d'oiseau-mouche à deux cents mètres. Le rance tremble à mon approche.

Enfin… jusqu'à aujourd'hui.

J'avance de trois pas dans l'entrée. C'est sombre là-dedans et l'électricité a été coupée. J'allume ma grosse lampe torche et je balaie les lieux de son faisceau. La cuisine ressemble à Ground Zero. Un reste de préparation culinaire a moisi au fond d'un saladier en inox et, partout ailleurs, des ustensiles et des boîtes de conserve ouvertes jonchent le sol.

L'odeur a grimpé d'un cran. Je me rapproche de mon but. Je brûle.

M. Marcel m'a prévenu qu'on avait affaire à un cas spécial. Charlie est passé avant-hier pour sulfater les lieux au Calmox 27, notre désodorisant de choc mis au point par des experts onusiens afin de venir à bout des ignobles bouffées d'air vicié s'échappant des charniers serbes. Il semble que Charlie n'ait pas réussi sa mission, vu que les voisins ont rappelé ce matin en protestant que ça fouettait de plus belle. C'est à se demander s'il s'est même déplacé.

À gauche, une chambre à coucher a dû servir de lieu de répétition pour le prochain tournage de *Ouragan 3*. Ils ont été jusqu'à arracher les lattes du plancher pour ériger une sorte de tipi sur le lit. Ça fait art contemporain sauvage. Pourtant, l'ignoble senteur ne vient pas d'ici. Mon système olfactif y détecte un émetteur incongru, mais ce n'est pas lui qui submerge l'habitation. Mon instinct me pousse à chercher plus loin.

À droite, la salle de bains où je crains de découvrir le pire. Je pousse la porte : le choc. Ça brille là-dedans, on se croirait dans une publicité de M. Propre au citron vert. Inutile de perdre mon temps : personne n'a utilisé cette pièce depuis des lustres.

Je commence à suffoquer. Il faudrait ouvrir une fenêtre. Je sue plus qu'un veau avant l'abattage. Je dois rester concentré — je suis un spécialiste dans l'exercice de ses fonctions.

Cette fois, j'en suis certain : mon flair me dirige en droite ligne vers la petite porte au bout du couloir. Je pénètre dans une minuscule buanderie comprenant deux vieilles machines rouillées et une table juste assez grande pour plier les chaussettes.

L'étrange contamination vanillée flotte dans l'air et me saute à la gorge. Je manque de tomber à la renverse, mais je me ressaisis à temps.

J'y suis. Je m'adresse à mon ennemi en lui parlant à voix haute, ça me donne du courage.

— À nous deux, infection putride. L'un de nous est de trop ici.

Je n'attends pas de réponse et je fouille du regard pour débusquer ma proie pestilentielle. C'est à ce moment-là que ça bouge dans la sécheuse. J'effectue un bond de côté. Ce mouvement est anormal. Les pires odeurs proviennent de la mort, de la décomposition, de la gangrène, de la moisissure. Donc de l'immobilité.

Pourtant, je dois mener ma mission salvatrice jusqu'au bout. Même si mon déodorant intime n'est plus capable de contrer la transpiration qui suinte de tous mes pores.

Je me concentre. Qu'est-ce qui peut à la fois sentir le vomi, la putréfaction et la vanille ? Et qui remue ?

Et qui peut entrer dans une sécheuse ? Vite, une idée !

— Sors de là, si t'es un miasme !

J'ouvre la Inglis d'un coup sec en pointant mon *désempuanteur*, paré à pulvériser une giclée de javellisant sur le monstre qui empoisonne cette maison. Je prends une bouffée de chaleur en plein dans les nasaux alors qu'un amas de linge cesse son mouvement rotatif.

Depuis quand fait-on sécher des vêtements sales ? Et dans quel but ? Pour les porter chauds ?

— Vous cherchez quelque chose ?

J'effectue une volte-face, décidé à zigouiller mon assaillante.

— Vous êtes une voisine ? Je suis le technicien…

— Je sais qui vous êtes. Un de vos collègues est venu avant-hier. Je me suis bien amusée avec lui dans ma pyramide.

C'était donc ça, le tipi ! Et Charlie aurait folâtré avec cette sorcière ? Comment a-t-il pu supporter l'infecte émanation qu'elle dégage ? Laisser une telle calamité en liberté est pourtant contraire à notre déontologie. Il aurait dû signaler le cas à M. Marcel.

— Ces habits vous appartiennent ?

— Bien sûr, j'habite ici.

— Et… Vous n'êtes pas dérangée par cette puanteur ?

— Je souffre d'anosmie. J'ai perdu l'odorat, si vous préférez.

Tout s'explique, je vous dis.

Elle sourit. Elle me fait un clin d'œil ! Je ne vais pas me laisser berner par l'incarnation du mal odorant.

Et voilà qu'elle tend la main pour m'effleurer la joue. Je lance, mal à l'aise :

— C'est quoi, cette odeur ?

Elle hausse les épaules.

— Ça doit provenir de mon petit chat. Il est mort en lapant une tasse d'extrait de vanille que j'avais utilisé pour parfumer ma pâte à crêpes.

— Pour quoi faire ? Il paraît qu'on n'a plus de goût lorsqu'on ne sent plus rien.

— C'est la vérité. La vanille, c'est pour ma nièce. Les crêpes aussi, voyez-vous.

— Et le chat ? la coupé-je avant qu'elle se perde dans ses histoires de famille.

— Mon petit chat ? Oh, j'ai voulu l'embaumer de la même manière que les pharaons procédaient avec leurs animaux préférés. Ça n'a pas très bien réussi, et Khamou a commencé à pourrir. Alors j'ai décidé de le déshumidifier.

En plus de l'olfaction, cette femme a perdu le sens des réalités.

— Bon, il est où ce chat, maintenant ? Parce qu'il va falloir vous en débarrasser. Il y a eu des plaintes et ça pue en diable, vous pouvez me croire.

— Il est là.

Elle désigne la Inglis grande ouverte.

— J'ai lu qu'il fallait totalement le dessécher pour qu'il se conserve de façon éternelle. Dans le dictionnaire, ils parlent de dessiccation. Alors une sécheuse… c'est l'idéal, non ? Eh, il y en a là-dedans, conclut-elle en se frappant le front avec son index.

J'avais déjà entendu l'histoire de la femme qui voulait sécher son matou au micro-ondes, mais, ce coup-ci, c'est une première dans ma carrière.

Ni une, ni deux, je mets mes gants de protection et je vide le contenu de la machine à assécher le propre dans un gros sac en plastique que je ferme avec un triple nœud.

J'ai rempli ma mission: déloger l'origine puante pour en venir à bout. Je me retourne, paré à quitter les lieux. Ça aurait été trop facile.

— Khamou! Mon petit Khamou!

L'égyptologue en furie se jette sur le sac et tente de me l'arracher des mains. Je bascule en arrière et m'étale sur le plancher en tuiles blanches. Elle me mord au poignet. Ma main s'ouvre, la groupie pharaonique attrape mon butin et se redresse. Je lui bloque la cheville et son corps décrit un arc de cercle dont son pied est le centre, et sa tête, l'extrémité du rayon. Elle s'écroule à son tour.

Je bondis sur cette malade mentale. Nos membres s'enchevêtrent. Nos senteurs intimes se mélangent. Mon énergie faiblit. Son sourire s'élargit. Je suffoque. Se pourrait-il que les forces nauséabondes parviennent à anéantir la coalition du sent-bon? Elle ouvre grand la bouche et me souffle une haleine à étouffer un bouc. Je m'évanouis, terrassé par mon pire ennemi.

Beaucoup plus tard, je me réveille sous son tipi pyramidal, le torse recouvert de bâtonnets de cannelle. À ma gauche, Khamou, tout sec, me fixe de ses grands yeux froids. Je reconnais cette odeur étrange.

Je détourne la tête… pour découvrir Charlie, allongé à ma droite. Il est mort et emmailloté de bandelettes telle une momie.

Je me sens mal.

Cléopâtre arrive alors, elle pointe vers moi un grand couteau à découper la viande et me susurre à l'oreille:

— Est-ce qu'on t'a déjà dit que tu avais le même nez que Ramsès II?

Drôles d'accidents

De : lyne40@autremail.ca
À : andre_travail@publix.net
Salut ! Ça va depuis tantôt ? À la radio : un immense carambolage vient de se produire sur l'autoroute 50, pas très loin de l'ancien aéroport de Mirabel. C'est l'horreur. Hystérie collective, dit le reporter sur place.

Des dizaines d'autos, de camions et d'autobus se sont télescopés avec fracas. Les tôles ne ressemblent plus à rien. Le sang s'écoule des habitacles. Le gars n'a jamais vu ça.

Des enfants pleurent, des hommes gueulent, des femmes demeurent sans voix. Il en rajoute un peu, je trouve.

De : andre_travail@publix.net
À : lyne40@autremail.ca
Mais ça vient d'où ? Pourquoi ? Explique !

De : lyne40@autremail.ca
À : andre_travail@publix.net
Ils ne savent pas. Ils cherchent. C'est fou. Ça continue… Ils ne parlent que de ça.

L'accident est survenu en plein jour, à 10 h 30, par

une belle matinée ensoleillée. La chaussée était sèche. Aucun brouillard, aucun verglas, aucun chargement qui se serait répandu sur le macadam.

Dix-huit conducteurs, des deux côtés de l'autoroute, ont perdu le contrôle de leur véhicule.

Les secours ont du mal à se rapprocher du lieu du drame. Un hélicoptère survole la plaine et le caméraman d'une chaîne d'information continue réussit à filmer cette scène macabre et surréaliste. Je n'ai pas la télévision ici, sinon je la regarderais.

Au quartier général de la sécurité routière, c'est le branle-bas de combat. Qu'est-ce que tu en penses ?

De : andre_travail@publix.net
À : lyne40@autremail.ca
Et si c'étaient des terroristes qui avaient fait le coup ? N'importe qui pourrait s'embusquer le long de ce tronçon et prendre pour cible les autos qui y roulent. Facile de s'enfuir en 4 x 4 par les champs.

De : lyne40@autremail.ca
À : andre_travail@publix.net
Mouais. Ils auraient envoyé un communiqué aux médias, non ? Et puis le Québec n'a pas d'ennemis de ce genre. On n'est pas aux États-Unis, ici.

Ça ressemble plus à un chauffard qui serait tombé de fatigue, en laissant son semi-remorque foncer dans les voitures. Mais pas un matin, pas si tôt. À cet endroit, un terre-plein central de près de quarante mètres de gazon sépare les deux voies, d'après ce que j'entends. Il aurait fallu qu'un autre chauffeur ait le même problème au même moment, dans le sens inverse. C'est impossible.

Bon, là, ils parent au plus pressé : sauver ceux qui peuvent encore l'être, détourner la circulation.

Premier bilan : neuf morts et dix-sept blessés, dont trois graves. C'est fou !

On vient de battre un record macabre dans la Belle Province, selon le journaliste. Je le crois. On s'en serait passé, non ?

Le ministre fait une déclaration. Il compatit et ne peut expliquer l'inexplicable.

De : andre_travail@publix.net
À : lyne40@autremail.ca
Gang d'incapables !

De : lyne40@autremail.ca
À : andre_travail@publix.net
Tu as raison. Attends, ce n'est pas fini… D'autres nouvelles. Déroutantes, si je peux dire. Ah ! ah ! ah ! Ça vire au scénario catastrophe.

Quatre accidents se sont produits dans un périmètre de quelques kilomètres, non loin de la 50.

Quatre autres pertes de contrôle inexplicables. Une camionnette qui fonce dans une station-service, une grosse Buick qui se met à zigzaguer en pleine ligne droite, une vieille Mustang qui exécute sans raison une série de tonneaux et, pour finir, un autobus scolaire qui se jette dans un lac. Les enfants avaient déjà été déposés à l'école. Ouf !

Tout ça est arrivé à 10 h 30. Les conducteurs des véhicules semblent avoir perdu les pédales, lâché le volant, fermé les yeux… on ne sait trop.

Alors ?

De : andre_travail@publix.net
À : lyne40@autremail.ca

Hypothèse numéro 1 : Les extraterrestres arrivent, ils sont proches. On va tous y passer.

Hypothèse numéro 2 : Un courant magnétique a traversé la région.

Hypothèse numéro 3 : Et s'il s'agissait de la vengeance des cultivateurs qui se sont fait voler leurs terres pour construire l'aéroport tout proche ?

De : lyne40@autremail.ca
À : andre_travail@publix.net

Tu regardes trop de films.

Le bilan s'est alourdi : douze morts et vingt-cinq blessés, dont deux graves.

Il y a autre chose : une femme s'est brûlée les deux jambes en échappant sur elle une poêle remplie d'huile à friture.

Un peintre a été retrouvé le cou cassé, après avoir chuté de son escabeau.

Bien sûr, à 10 h 30. On est toujours dans le même périmètre de la folie meurtrière, comme le surnomme le reporter. Il a le sens de la formule, celui-là.

Il est en direct avec la police. Ils ont tracé un cercle englobant les accidents et, au centre, il y a une maison isolée.

De : andre_travail@publix.net
À : lyne40@autremail.ca

Tadam !

Ben Laden ?

De : lyne40@autremail.ca
À : andre_travail@publix.net
Pourquoi pas ? Ils y sont, là. La police est avec le reporter. Je ne sais pas comment il se débrouille, mais il les talonne. Il ne les lâche pas.

Ils sont devant une ancienne ferme surplombée d'une immense antenne.

Les flics font irruption sans sommation, mais l'intérieur paraît désert. Ils montent à l'étage et surprennent un homme qui griffonne sur des cahiers. Autour de lui, du matériel électronique, un micro, des fils dans tous les sens.

On l'interroge : il était où ce matin à 10 h 30 ? Il faisait quoi ?

Il affirme n'avoir rien fait de mal.

Oh, il a juste effectué un petit test avec son nouvel émetteur. Pour voir s'il pouvait pirater les ondes. Il ne sait pas si ça a vraiment fonctionné.

De : andre_travail@publix.net
À : lyne40@autremail.ca
Et qu'a-t-il diffusé ?

De : andre_travail@publix.net
À : lyne40@autremail.ca
Tu es encore là ?

De : lyne40@autremail.ca
À : andre_travail@publix.net
Oui, oui.
Excuse-moi, je riais trop. C'est incroyable ce truc.

Le monsieur a mis en marche un vieux magnétophone à bandes. On a pu en entendre trente secondes.

Pas possible ! C'était lui qui racontait des histoires drôles. Mais tellement drôles ! Pissantes.

Un humour un peu bizarre, mais à hurler de rire.

On entendait les flics qui se marraient.

C'est ce qui est arrivé dans la matinée : les conducteurs ont entendu cette voix surgir dans leur voiture. Fous rires garantis. Pertes de contrôle. Accidents.

Quatorze morts et vingt-cinq blessés à cause de bonnes blagues.

De : andre_travail@publix.net
À : lyne40@autremail.ca
Dis, t'es pas en train de te payer ma tête, là ?

Elle est vraie ton histoire ou tu l'inventes au fur et à mesure ?

De : lyne40@autremail.ca
À : andre_travail@publix.net
Devine.

Le poids des mots, le choc des reliures

L'histoire remonte à plusieurs années.

Loin du rythme effréné de mon Paris natal, je goûtais depuis longtemps un séjour tranquille à Montréal.

J'étais fort bien installé dans un appartement confortable, à deux pas d'une pâtisserie et à trois enjambées d'une librairie ouverte vingt-quatre heures sur vingt-quatre. C'est dans cette dernière que je passais des heures à guetter l'apparition des nouveautés en prenant garde de ne pas saloper un ouvrage avec une quelconque trace de viennoiserie. Je m'appliquais ainsi à ne point laisser couler la compote de mon chausson aux pommes sur une couverture sentant l'encre fraîche.

La vie était *cool*. Vraiment très *cool*. Je n'ai pas d'autre mot pour définir mon existence d'alors.

« *Cool.* »

Jusqu'à ce jour, ce soir, plutôt.

J'étais un tantinet ivre. Pas beaucoup, mais déjà trop.

Trop pour feuilleter des catalogues d'art, les mains pleines du chocolat fondu d'une chocolatine proche de la perfection. Trop pour manipuler quelque recueil de poésie syrienne en édition très limitée. Trop pour un libraire normalement constitué, maniaque des livres, érudit, mal payé et donc irritable.

—Ignatius ! T'es pas dans ta baraque de hot dogs, ici !

La référence littéraire au héros du seul roman de John Kennedy Toole me passa six pieds par-dessus la tête.

Je me prénomme Gaël. Souvenir lointain d'ancêtres bretons, d'après ma mère qui n'a jamais mis les pieds en Bretagne. J'explique, car on m'a souvent questionné sur l'origine de ce nom peu courant. L'étymologie remonte droit aux Gaëls, ces Celtes d'Irlande et d'Écosse, tout ce vieux fardeau européen que je regarde par-dessus mon épaule, détaché. Le vieux monde est loin et moribond.

Je n'ai donc pas réagi à l'invective du vendeur de bouquins. J'ai continué à marquer de brun des pages au hasard, dont un très charmant coffret relié pleine peau consacré aux jardins miniatures. Jolies aquarelles.

J'avais un peu exagéré sur la Clairette de Die. Là réside mon talon d'Achille, je l'avoue. Dès que j'ai un peu de sous d'avance, je me paye une bouteille de Clairette. Et je me la siffle en solo, égoïste et très heureux.

D'ordinaire, je reste chez moi. Je relis une vieille bande dessinée de l'école belge, j'écoute la radio en sourdine, je m'endors, je rêvasse. Les fines bulles ont cet effet unique sur moi. Elles me rendent béat.

Ce soir-là, allez savoir pourquoi, je n'avais pas envie de me tourner les pouces. Et me voici apostrophé à la manière du personnage principal de *La conjuration des imbéciles.*

Et moi qui ne réponds pas !

—OH ! IGNATIUS ! T'ES SOURD ? ENLÈVE TES SALES PATTES DE MES LIVRES !

J'ai tourné la tête. À l'unisson, les clients de la librairie ont fait de même, en direction de celui qui hurlait ainsi, rouge de rage.

J'ai laissé tomber mon pain au chocolat sur une pile de romans traduits du scandinave. Ça l'a rendu furax. Il s'est précipité sur ma personne et m'a postillonné à la figure.

— Ramasse tes ordures ! Et disparais d'ici. Mais avant... Tu vas rembourser chaque dégât que t'as commis.

On ne peut pas commettre des dégâts, il me semble, mais impossible de corriger la syntaxe d'un tel dégénéré.

Il se retenait pour ne pas m'étrangler. Je le voyais bien. S'il avait eu une arme à feu, il m'aurait fait sauter le caisson à bout portant. Ce métier paraît mortel pour les nerfs.

Je suis demeuré stoïque. La Clairette peut s'avérer d'un grand secours dans des moments comme celui-là. Le stoïcisme est cette doctrine de Zénon et de ses disciples qui professe l'indifférence devant ce qui affecte la sensibilité. Ce gars affectait fort ma sensibilité. La Clairette m'a beaucoup aidé à afficher mon indifférence face à cet énergumène.

Ça l'a transformé en enragé. Ses mâchoires crissaient.

Il a tenté de m'attraper par le collet. Il ne parvenait plus à articuler.

J'ai frappé son poignet avec un essai intitulé *Pourquoi je suis une vache*. Je me suis libéré et je l'ai repoussé sans ménagement. Il a effectué une embardée vers la gauche, a valsé un court instant avant de s'écrouler sur une exhaustive présentation de livres sur le yoga, la méditation, la relaxation et autres lectures qui lui auraient procuré un apaisement certain s'il avait pris la peine de les consulter.

Il s'est relevé à une vitesse fulgurante. Si ce n'était des dizaines de volumes épars sur le plancher, on aurait pu se demander s'il était réellement tombé.

Il m'a bondi dessus en vociférant.

— Salopard ! Ordure !

On a tenté de se frapper chacun au visage, mais je n'osais pas trop l'abîmer. Il pouvait encore servir.

— Minable ! Ivrogne ! Gros porc !

Il y a des limites à l'insulte. M'accoler ainsi des épithètes de bas étage, c'est aussi rabaisser la fine fleur du vin de Die. Et ça, je ne supporte pas.

J'ai saisi un gros volume qui trônait fièrement sur la table des best-sellers : le deuxième tome des souvenirs soi-disant érotiques d'une romancière en robe de chambre sur la jaquette. Ça pesait lourd en papier, même si le propos semblait mince. D'un mouvement circulaire, ample, je lui ai asséné un coup de tranche sur la tempe. Ça l'a calmé.

Et puis c'est lui qui avait commencé !

Le gérant de la librairie, qui devait ronfler dans sa réserve, est sorti et s'est approché à son tour. Droit sur moi.

— Ça suffit ! Lâchez ce livre et sortez d'ici ou j'appelle la police !

Trop tard.

J'ai pris mon élan pour franchir en ciseaux un présentoir de classiques à prix réduits. Mon dernier saut remontant à l'époque du primaire, j'ai accroché le sommet du carton qui a suivi mes pieds jusqu'à terre. Des dizaines de Molière, de Diderot et de Voltaire se sont répandus pour créer un très chic tapis.

Je ne me suis pas arrêté pour si peu. D'un bond, j'ai atteint le rayon des polars. La mode des briques en littérature noire me tendait ses épaisses collections aux couvertures sombres.

J'ai pris *Massacre dans les Bermudes* et je l'ai expédié dans la face du patron. Il s'est baissé à temps, mais ce qui ressemblait à une étudiante en cinquième année de sociologie se l'est mangé dans les gencives. Les bouquins de cet auteur américain se dévorent, paraît-il.

Pierres tombales a suivi un chemin identique, atteignant le gérant à l'arcade sourcilière gauche. Le sang a pissé dru, giclant sur le nouveau répertoire des gens riches et célèbres. L'argent attire l'hémoglobine, je confirme.

J'ai profité de la déroute momentanée du gérant pour saisir cinq exemplaires du dernier MacAdam et les balancer avec force en direction d'un groupe d'employés qui espéraient me prendre à revers. Je les avais repérés à temps, j'ai visé. J'en ai touché trois : un sur le nez, un autre sur l'oreille et le troisième (je n'ai pas fait exprès) l'a reçu dans les parties génitales. Il a hurlé tel un damné qu'on émascule.

Je me suis précipité sur un tabouret qui sert à atteindre les volumes les plus haut perchés. Grâce à lui, j'ai pu m'élever jusqu'à une Bible enluminée que j'ai expédiée sur la caisse la plus proche. Un portfolio de gravures de papillons a suivi sa trajectoire en libérant ses feuillets. Les coléoptères se sont posés çà et là. Bucolique.

— Arrêtez ce bordel, bon sang !

Mon jeune libraire venait de réapparaître, hirsute. Déboussolé, aussi.

— Tu m'as parlé, l'arpète ?

Ce gars avait encore pas mal à apprendre de l'existence.

Il faut admettre que la Clairette se mariait à merveille avec le mouvement. En repensant à ces nombreuses soirées passées chez moi à paresser, je me suis mis à regretter cette inactivité inconsciente. Si j'avais su...

Maintenant, je savais et je comptais me rattraper.

Soudain, je comprenais le bien-fondé de l'expression « sitôt Die, sitôt fête ».

Ma fureur du livre semblait tétaniser l'auditoire. Les intellos sont ainsi, peu enclins à l'action. Ils observent, prennent des notes. Un jour, ils coucheront leur absence de vécu sur du papier : *Mémoires d'un lecteur frappé par les mots.*

— Alors, bande de dégénérés, profitez-en ! Pour une fois, ce n'est pas de la fiction. C'est la vie qui vous parle. C'est elle, l'auteure.

J'étais hyper inspiré.

J'ai profité de l'apathie générale pour envoyer valdinguer la collection complète des écrits d'Alphonse Cour, très vite suivis de ceux de Marina Larive. Ces phrases pesaient une tonne. Quand le style n'est pas bon, la prose est lourdingue. Un binoclard échappé de la Sorbonne a tenté d'attraper l'exemplaire qui lui était destiné. Trop lent ou trop myope, je ne saurais expliquer : il l'a reçu en plein visage et s'est effondré illico sur le comptoir des nouveautés étrangères. Badaboum !

Pendant que j'admirais la chute du prof, le gérant avait réussi à réorganiser ses maigres troupes. Ils étaient cinq à m'encercler, progressant avec méthode, se protégeant derrière de grands albums cartonnés de Tintin.

— Bande de lâches, ai-je hurlé.

Ils continuaient à se rapprocher.

Je fis s'abattre une grêle de livres sur mes assaillants : des poches, des pas poches, des épais, des concis, des à suivre, des à éviter, des chefs-d'œuvre, des futurs pilonnés. C'était une pluie de littérature, une avalanche de lettres, une averse de points-virgules.

Ces fourbes ne se laissaient plus impressionner par la qualité de mes projectiles.

J'ai choisi le plus faible du lot et je lui ai foncé dessus en lançant mon cri de guerre :

— Clairrreeettttte !

Les spectateurs ont dû croire que j'appelais ainsi mon amie Claire. Ce suffixe en « ette » devait être une forme familière, amicale, voire amoureuse. Les gens aiment quand il y a de l'amour dans l'air.

J'ai réussi à forcer le passage et à atteindre la sortie que cette bande de lettrés incompétents avaient omis de bloquer.

Je me suis retrouvé dehors, ivre de mots, trempé de sueur.

— Le voilà !

Ils m'avaient suivi et me pourchassaient maintenant sur le trottoir. Il faut les comprendre : je venais de transformer en capharnaüm leur temple de la culture imprimée. Le montant des dégâts les précipiterait dans la faillite.

J'ai pris mes jambes à mon cou et j'ai couru sans m'arrêter. J'ai fini par les semer.

Lorsque je me suis arrêté, j'étais perdu. J'ai dormi dans un parc, en rêvant aux étoiles que des nuages me dissimulaient. Je ne suis jamais revenu chez moi. J'aurais été trop tenté.

Tenté de boire, tenté de retourner dans la librairie, tenté de fanfaronner, tenté de me faire attraper.

Mais l'expérience avait été profitable.

Ce soir-là, j'ai appris une chose essentielle : il ne faut pas mettre n'importe quel bouquin entre n'importe quelles mains. Les conséquences risquent de se révéler désastreuses.

Un livre peut être une arme. Je le sais, je l'ai expérimenté.

Allergie

— Non merci, je suis allergique.

Il avait prononcé cela à voix basse, sur un ton d'excuse.

— Juste aux noix, s'était-il senti obligé de préciser.

Il était doublement agacé. Dans une cafétéria, aucune fille, aussi jolie soit-elle, n'est censée proposer un mets au client qui attend dans la queue. Chacun est libre de prendre ce qui lui plaît. Et s'il ne reste que des betteraves, on le voit ; pas la peine d'essayer de fourguer les invendus.

Là, ce n'était pas le cas : il y avait encore du choix dans les entrées.

La fille avait hoché la tête, retirant l'assiette remplie de salade verte aux amandes grillées et vinaigre de cidre. Elle lui avait tendu à contrecœur la soupe aux carottes. Quelqu'un peut-il développer une intolérance aux carottes ?

Il avait accepté le bol en la remerciant du bout des lèvres. Il haïssait le regard qu'on lui portait quand il annonçait son problème. Il avait toujours le sentiment qu'on ne le croyait pas, qu'on le prenait pour un gars compliqué et difficile. Ce n'était pourtant pas sa faute s'il risquait de s'étouffer chaque fois qu'il côtoyait une noisette.

Pour le plat principal, il devait se décider entre le poulet basquaise et les cannellonis. D'expérience, il se méfiait des plats en sauce. La gastronomie est un art où les cuisiniers adorent expérimenter, peu importe qu'ils officient à la cantine d'une entreprise de travaux publics ou au Ritz. Le moindre chef va vouloir réinventer le poulet basquaise — en y ajoutant des noix de cajou, par exemple.

Les cannellonis proviennent toujours de conserves. Les fabricants de conserves évitent depuis longtemps d'inclure des ingrédients allergisants dans leurs boîtes; même s'ils persistent à inscrire sur les emballages que leurs préparations peuvent en contenir des traces. Ça, c'est pour se couvrir sur le plan légal.

Des traces de couards, il y en a partout.

Sur son plateau, il trouva encore un peu de place pour caser une bière blonde et un yogourt à la vanille.

Il s'assit avec les autres, sur une des quatre longues tables en stratifié orange. C'était son premier jour et tout le monde le savait, même si personne ne lui avait souhaité la bienvenue. Les nouveaux devaient se débrouiller pour se présenter, faire leur trou.

En parlant de trou, il se demandait bien ce qu'ils fabriquaient sur cet immense chantier. Il avait passé la matinée à remplir des papiers et des formulaires, à se faire ausculter par des docteurs, mais pas un seul employé n'avait été fichu de lui expliquer pourquoi on devait creuser un tel gouffre en pleine campagne.

Quelle importance? La paie était correcte et sa tâche consisterait à conduire son bulldozer selon les directives du contremaître. Le reste, il s'en contrefichait. Après trois mois de chômage, ce contrat tombait pile, alors qu'il s'apprêtait à postuler pour l'emploi de plongeur au restaurant proche de chez lui. Un travail à haut risque dans son cas.

Il devait sans cesse jongler avec les dangers éventuels d'allergie : les boulots de manutentionnaire de caisses de beurre d'arachide, de livreur de pizzas aux noix ou de surveillant des singes au zoo lui étaient interdits. Question de vie ou de mort.

La soupe avait bon goût. Un peu froide, mais mangeable. Il avait connu pire.

Les cannellonis ressemblaient à n'importe quelles autres pâtes industrielles — viande de bœuf hyper cuite et pas de commentaire culinaire à apporter.

Le yogourt était tiède. Avec la bière à la même température, ça passait mieux.

— T'as encore faim ? Tu veux ma salade ? J'y ai pas touché.

Son voisin d'en face, un gars aux joues couperosées, lui tendait son assiette en le regardant droit dans les yeux. Fallait-il voir là une marque de camaraderie, une tentative de rapprochement viril, voire homosexuel, une offre sincère pour cause de ventre vide ? Il devait sembler aussi affamé qu'il l'était en réalité.

— Merci, je ne peux pas : je suis allergique aux noix.

— Quoi ?

Le ton avait évolué d'un cran vers l'agressif. Autour d'eux, les bruits de fourchettes et de mastication avaient cessé. Les yeux s'étaient braqués sur le gars qui lui proposait son entrée au-dessus de la table.

Effectuait-on là un rite d'initiation pour le nouveau venu ? Aucun signe ne permettait de le savoir.

— Tu peux la bouffer, j'ai pas craché dedans, insista l'autre.

— Je te crois, mais c'est parce que… J'ai plus faim. Je te remercie, j'ai assez mangé.

Il aurait dû se rappeler qu'on ne parle pas d'allergie entre camarades de chantier. On avale de tout quand on est un homme. Les sensibilités gastriques, c'est pour les femmes ou les malades : deux catégories qui n'ont pas leur place au milieu des pelleteuses.

Trois mois loin des ouvriers aux souliers crottés, et voilà le résultat : il en avait oublié la plus élémentaire des règles de vie. Il devait réagir avec promptitude et doigté.

Comment ?

Avaler la salade, puis courir la vomir dans les toilettes… La solution, qui semblait au premier abord futée, s'avéra vite stupide, le risque étant trop grand. La dernière fois qu'il avait ingurgité un gramme de ce poison, il avait fini aux urgences, à deux doigts d'y terminer ses jours entre un pauvre type bourré de crack et une vieille dame avec une péritonite aiguë.

Détourner la conversation. Voilà ce qu'il fallait tenter.

— Au fait, tu sais, toi, pourquoi on creuse ici ?

— Je te le dirai quand tu auras goûté ma laitue, le jeune.

La diversion ne fonctionnait pas fort dans le coin.

Il attrapa la salade, se leva et l'emporta avec lui.

— Je la mangerai plus tard… pour ma collation, lança-t-il à l'emmerdeur.

Mais il buta vite contre un semi-géant, une montagne de viande qui lui barrait le passage.

— On n'a pas le droit d'emporter de la nourriture dans les engins. Mange ta salade, la bleusaille.

C'était donc leur truc pour initier les nouveaux : les gaver d'une quelconque médecine. Ils s'étaient certainement amusés à préparer une fausse vinaigrette à base d'un puissant laxatif. Voilà pourquoi la fille avait tenté de lui imposer cette entrée près de la caisse. En refusant de l'ingurgiter, il les privait du plaisir de le voir courir aux toilettes pour cause de chiasse carabinée.

Le pire, c'est qu'ils jugeaient maintenant son comportement comme un affront personnel à leur groupe.

Il laissa tomber l'assiette par terre.

— Oh ! Elle m'a échappé !

Il ne se suiciderait pas pour leurs beaux yeux.

Le gros le saisit au collet et le força à se mettre à genoux. Tous les ouvriers avaient abandonné leur place pour les entourer et encourager la brute.

— Lèche mes chaussures, mauviette ! Nettoie-les. *Go!*

Ce débile devait peser le double de son poids. Impossible de réagir.

Il glissa sa main sur le sol, à l'aveuglette, toucha un morceau d'assiette, s'en saisit, enroula son poignet autour de la cheville de son tortionnaire, le déroula d'un coup en enfonçant la section tranchante de l'assiette dans le tendon, le sectionna.

On entendit un bruit sec — on aurait cru un élastique qui pète.

Le grand con lâcha prise aussitôt en implorant sa maman de venir à son secours. La gorge bloquée au volume maximum, le colosse au pied d'argile se tint sur une jambe durant une poignée de secondes, puis s'écroula sur la vitre du comptoir des desserts, emportant avec lui deux autres types de son engeance.

Ça couinait dans tous les sens, le sang pissait par les coupures fraîchement formées.

Autour d'eux, on n'avait pas bien vu ni compris ce

qui s'était passé. On essayait de porter secours aux blessés.

Il profita du chahut général pour se relever, se dégager du groupe, s'éloigner.

Avant que cet agglomérat de connards reprenne ses esprits, il détala jusqu'au stationnement, balança le morceau de porcelaine qu'il tenait encore, s'engouffra dans sa vieille Volkswagen et démarra sur les chapeaux de roues.

Dans le rétroviseur, il aperçut des gars qui levaient le poing dans sa direction. Il leur répondit par un majeur dressé.

Le pied au plancher, il roula vite en rageant contre ces imbéciles, contre sa maladie ridicule, contre les gros, contre les trous, contre la terre entière.

Son corps tremblait de toutes parts. Se pouvait-il qu'un infime bout de noix se soit logé sur sa peau, provoquant une réaction ?

Non, il ne s'agissait pas de ça, c'était plus grave.

Un truc rédhibitoire l'avait atteint. Sa sensibilité venait encore de s'aggraver et il aurait du mal à survivre avec un tel handicap.

En plus des noix, il était désormais allergique aux cons.

Survie

Hubert ouvrit le grand frigo en acier inoxydable, inspecta le contenu, hésita entre une boisson énergétique au ginseng et un jus de goyave enrichi en vitamines B, D et E. Il attrapa enfin une bouteille d'eau rendue pure par sextuple filtration.

La température de l'appartement était stabilisée à 19,5 °C dans chacune des pièces. Le lointain ronronnement du climatiseur expliquait cette douceur ambiante en plein mois d'août. Hubert s'installa dans le fauteuil ergonomique recouvert de latex poreux. Il porta le goulot à ses lèvres, avala une gorgée de liquide frais. Il n'avait pas soif.

Hubert se releva, marcha jusqu'à la grande baie vitrée et observa la ville. À l'aise dans son jean et son chandail en coton biologique certifié *Sweatshop-free*, il se sentait détendu dans sa peau d'homme de quarante ans, non fumeur. Les cheveux encore abondants, le corps entretenu par un programme personnalisé avec entraîneur diplômé, il avait de bonnes raisons d'envisager l'avenir avec sérénité.

Vue du vingt-cinquième étage, la cité ressemblait à une fourmilière silencieuse et inoffensive. Chacun vaquait à ses occupations, sans se soucier de son voisin. Rien de particulier à signaler.

Le quadragénaire ôta ses souliers en agneau mort-né et les envoya valser à l'autre bout de l'immense salon aux murs d'un blanc cassé immaculé. Il appuya son front contre la vitre, semblant réfléchir, puis recula sa tête pour la frapper d'un coup violent contre le verre. Il serra les dents. Il avait besoin d'éprouver quelque chose.

À force de maîtriser les moindres détails de son existence, on finit par s'ennuyer dans sa bulle prévisible. Il fallait parfois effacer pour mieux recommencer.

Et si cette harmonie cessait ? S'il devait perdre ses précieux repères ?

S'il fallait soudain se débrouiller sans électricité, sans ascenseurs, sans supermarchés, sans feux de circulation, sans ouvre-boîtes ; en serait-il capable ?

Hubert ne savait rien faire à part prodiguer des conseils de gestion humaine à des directeurs généraux de sociétés de services. Le secteur tertiaire employait dorénavant plus de main-d'œuvre que les activités dites de production — l'agriculture, l'industrie, les mines…

Le monde occidental se contentait de jouir d'une misérable existence confortable et dégénérative. On ne parlait plus de société des loisirs, mais de société du calfeutré et du perfusé.

Hubert tenta de se projeter dans un univers dépourvu de pois calibrés congelés.

Il fixa la cime des arbres du parc à peine visible à travers la brume de pollution, habituelle en cette saison. Il se cogna de nouveau le front.

— Survivre, grogna-t-il.

Pourrait-il survivre seul dans un bois ? Saurait-il se nourrir, se protéger, allumer un feu ?

Les champignons vénéneux ont-ils la chair molle et aqueuse ? Le soleil se couche de quel côté ? Quel genre d'empreintes laisse un lapin de garenne ? Faut-il courir quand un ours vous attaque ?

Hubert se dirigea vers la grande table en béton armé uniquement encombrée par son ordinateur portable dix-sept pouces. Il souleva le couvercle, lança le fureteur et tapa deux mots : stage survie.

En sept secondes, plusieurs dizaines de liens s'affichèrent. Habitué à la navigation sur Internet, il eut tôt fait de dénicher ce qu'il recherchait. Il appela alors un certain Jean Wild, spécialiste en la matière.

— Monsieur Wild ? Oui, je voudrais suivre votre… formation. Est-ce que je suis disponible sur-le-champ ? Hum… Pourquoi pas ? J'arrive.

Hubert s'apprêtait à raccrocher, mais il se ravisa.

— Je dois apporter quoi ? Rien. Bon, parfait.

Il imprima deux exemplaires des coordonnées de son interlocuteur, en glissa une dans sa poche et plaça l'autre en évidence sur le plateau de verre, en y rajoutant « Je suis là. Papa. » Sa fille devait passer chez lui durant le week-end. Qui sait s'il serait de retour alors ?

Dans le garage souterrain, il déverrouilla à distance les portes de son coupé convertible. La voiture, un modèle hybride écologique et responsable, sentait le neuf, le cuir, la réussite. Il démarra et conduisit avec empressement.

Il voulait s'interdire de rationaliser. Il se connaissait trop bien ; sa dialectique venait à bout des arguments les plus pertinents, même des siens. Non, pour une fois, il s'agissait de suivre son instinct. La survie était distincte des parts de marché. Il fallait accepter ce retour vers l'essentiel, le basique. Forcément, il y avait une raison à cette pulsion. Il le saurait assez tôt. En attendant, il s'en remettait au destin et à Jean Wild.

Quel nom quelconque, avouez-le ! Pourquoi ne pas conserver son propre patronyme ? Comme si lui avait décidé de s'appeler Hubert Manager. Franchement !

Déjà, il était presque rendu à son but. À cette heure-là, les employés travaillaient encore, la circulation demeurait fluide.

Il sortit le papier pour vérifier le numéro et la rue, même s'il s'en souvenait avec précision : 4317, rue des Airelles. Ça sonnait campagnard. Il se gara presque en face. L'endroit était calme, et il se demanda si c'était très sage de laisser son auto dehors pendant la nuit. Il n'eut pas le temps d'approfondir le sujet.

— Hubert ?

Un petit homme brun le hélait depuis le seuil de sa destination. Pas le genre de physique à s'appeler Wild. De façon inconsciente, Hubert s'était plutôt préparé à rencontrer un grand barbu aux épaules carrées. Celui qui l'accueillit n'avait rien d'un bûcheron, mais sa poignée de main était ferme.

Ils pénétrèrent dans un vaste hangar métallique encombré d'objets hétéroclites. Ça sentait l'essence, le vinaigre, le musc et le caoutchouc brûlé. Trois gros ventilateurs boulonnés sur les poutrelles métalliques soutenant le toit mêlaient les effluves de ce mélange contre nature.

— À quoi tu veux survivre, le grand ?

Le tutoiement d'emblée décontenança Hubert.

La question n'appelait pas vraiment de réponse. C'était évident :

— Survivre au froid, à la faim, à la nature.

— Je me fais mal comprendre, je pense, le coupa Jean sans l'écouter.

L'homme marqua un temps d'arrêt pour ménager ses effets. Hubert fronça les sourcils. Il n'était pas venu là pour subir un interrogatoire, encore moins pour remplir l'un de ces foutus questionnaires de motivation du genre de ceux qu'il distribuait dans les salles de réunion de ses clients. Il voulait du concret, de l'action, de la transpiration. Pas de blabla, par pitié !

— Tu veux survivre ici, en ville, ou dans un pays que tu connais pas, ou dans ton salon ? T'as juste à préciser, je peux m'adapter à tout, tu sais. Y a rien qui m'effraie... moi, précisa-t-il.

— Non, je veux survivre dans la nature, dans une forêt. Chasser, pêcher, allumer un feu, manger des racines, fabriquer une cabane... des trucs de ce genre.

Le petit brun éclata de rire. Bruyamment, longuement, se tenant les côtes, il n'en pouvait plus de s'esclaffer. Il pleurait de bonheur. La réplique d'Hubert venait de lui fournir sa ration de joie pour la semaine.

— Quoi ? Si ça vous fait rigoler, je m'en vais. Je suis pas venu ici pour qu'on se moque de moi.

Jean saisit le bras d'Hubert avec fermeté.

— Attends, te fâche pas. C'est que ton idée est stupide. Regarde-toi. Tu vas perdre ton temps dans le bois.

Il planta Hubert devant un miroir brisé et lui désigna son reflet.

— C'est pas demain la veille que tu risques de te retrouver seul et nu dans la toundra avec ta bite et ton couteau. Par contre, ici, ça pourrait t'arriver n'importe quand.

Cette fois, il fit tourner Hubert d'un quart de tour pour lui indiquer la porte ouverte, à l'arrière du hangar.

Elle donnait sur une ruelle pisseuse et sombre.

— Là ?

— Ouais, là, mon grand. Les gens dans ton genre se risquent jamais loin de la civilisation. Par contre, et c'est fréquent, leur bagnole tombe en panne en allant rejoindre des amis pour un gros *party* sur un yacht dans le Vieux-Port. Pour s'y rendre, ils doivent traverser la zone des docks, mais il y a personne à cette heure-là. Manque de bol : leur téléphone cellulaire ne capte plus aucun signal et les voilà à pied au milieu de nulle part. La nuit est noire, ils sont habillés comme des milords, des ombres rôdent. Il faut qu'ils réagissent vite s'ils veulent...

— Survivre ?

— T'as tout compris. Et tu le savais pas, mais l'aventure commence maintenant, mon grand.

Wild accompagna sa dernière phrase d'un coup de matraque souple à l'arrière du crâne d'Hubert. Tchac ! Extinction des feux. L'aspirant survivant quitta le monde éveillé pour rejoindre celui de son stage improvisé.

— Ouillouillouille !

Hubert reprit connaissance en grimaçant de douleur. Il porta la main à son occiput et y tâta une énorme bosse. Le sang y affluait en lui lançant des coups de marteau sous les méninges. Où était-il ? La nuit était tombée, mais depuis quand ? Il regarda son poignet gauche : sa montre avait disparu. Un croissant de lune éclairait à peine la scène : deux interminables alignements de conteneurs empilés sur trois niveaux. Le couloir métallique ainsi créé semblait sans fin, quel que soit le côté où l'on portât le regard. L'espace entre les rangées — une dizaine de mètres — permettait aux engins de transport de déplacer les énormes masses.

Il se releva, se massa les membres. Rien de cassé. L'atmosphère devenait électrique. Ça sentait l'orage.

Hubert était sidéré. L'autre imbécile de Wild l'avait donc pris au mot, au sens littéral. On ne jouait plus, on était là pour souffrir, se démener. Y avait-il de quelconques mesures de sécurité à son initiation?

Personne en vue. Les garde-fous qui le protégeaient étaient bien cachés. Ou inexistants. Dans ce cas-ci, il fallait davantage se protéger des gardes que des fous.

Qu'est-ce qu'il avait dit, l'autre nabot? «Les voilà à pied au milieu de nulle part. La nuit est noire, ils sont habillés comme des milords, des ombres rôdent. Il faut qu'ils réagissent vite s'ils veulent...»

S'ils veulent quoi? Conserver leurs fesses intactes ou entretenir une illusion d'espoir?

Sans trop y croire, il inspecta ses poches: vides, bien sûr. Adieu téléphone, portefeuille, clés de maison et de voiture.

— Quel con!

Hubert imaginait la scène: après l'avoir abandonné ici, Jean Wild avait eu quinze fois le temps de cambrioler son appartement, fourguer son auto, son équipement vidéo et ce qui avait un tant soit peu de valeur. Il trouverait le mot adressé à sa fille avec ses coordonnées. Il l'escamoterait. Et, pendant ce temps-là, ce grand stupide d'Hubert devait se démener pour sortir de ce guêpier.

— Je suis le roi des naïfs, voilà ce que je suis.

S'il retournait au 4317, rue des Airelles, il n'y trouverait qu'un hangar désaffecté depuis la première guerre d'Irak.

Vers où se diriger?

De chaque bord, l'horizon disparaissait dans l'obscurité.

Il avisa des barreaux dans la structure des conteneurs. Il suffisait de monter là-haut pour avoir une vue d'ensemble. Peut-être qu'en passant par-dessus il pourrait s'échapper de cette prison à ciel ouvert.

Le premier conteneur fut facile à grimper. Les échelons glissaient sous ses pieds, mais sa motivation compensait le manque d'adhérence. Le passage au second parallélépipède s'avéra périlleux, car il devait atteindre la deuxième échelle à un mètre en se tenant en équilibre juste avec ses pieds. Et puis ça commençait à être haut.

Hubert serra les dents, se plaqua contre l'acier et progressa plus lentement.

Tout paraît moins élevé vu d'en bas. Lorsqu'on monte, l'altitude semble inversement proportionnelle à ce qu'on avait jugé depuis le plancher des vaches. Hubert eut peur en jetant un œil au sol. La noirceur accentuait ce sentiment de distance. Il aurait été accroché par un filin le long d'une paroi alpine que ça n'aurait pas été pire.

Le vertige lui donna une sorte de fièvre. Bon sang, ce n'était pas le moment de jouer les fillettes. L'expérience venait à peine de débuter. Du nerf !

Il fixa une inscription dans une langue inconnue, concentra son attention dessus. Les lettres noires flottaient, semblant vouloir se décoller de la peinture : K#N-CrX-Ytt-9fGG.

— Ça manque de voyelles, se surprit-il à marmonner.

Cet intermède lui permit de retrouver un peu de calme. Il escalada au ralenti le reste du troisième conteneur. Le ciel s'élargissait.

Hubert rampa sur le toit, massacrant au passage son pantalon et son chandail. Qu'importe, mieux vaut être sale et vivant que mort et impec.

Là-haut, le vent soufflait fort. Le quadra eut de la peine à se redresser, craignant de glisser et de dégringoler les neuf ou dix mètres qu'il venait de gravir.

Il scruta les ténèbres à gauche et fut découragé par ce qu'il découvrit : une enfilade de conteneurs à l'infini. Il paraissait y en avoir des milliers. Il se retourna et reprit confiance. Dans cette direction, on apercevait une lumière en hauteur, semblant venir d'une grue. C'était la meilleure voie à suivre — la seule en réalité.

Marcher sur les toits d'une dizaine de conteneurs le rapprocherait de son but. Ensuite, il n'aurait qu'à franchir trois ou quatre rangées comme il venait de le faire et il serait sorti de là. En théorie.

Inutile d'attendre une seconde de plus — survie ne rime pas avec tergiversation.

Il se dépêcha, sauta le premier toit sans encombre. Cela lui apporta un regain de confiance. Il accéléra le pas. À ce rythme, il parviendrait à destination en cinq minutes.

Le physique réchauffé, le moral requinqué, il se permit d'exprimer sa joie en imitant le cri de Tarzan.

— Aaaiiiiaaaiiiiaaaaa…

Mal lui en prit.

Un claquement sourd troua le silence, suivi d'un sifflement strident, d'une explosion et de l'illumination du ciel. Une fusée éclairante embrasait maintenant la scène, révélant la présence d'Hubert à ceux qui venaient de la lancer.

— J'aime pas ça.

Il s'arrêta aussitôt, s'accroupit, tendit l'oreille, inspecta les rangées de conteneurs multicolores. Qui avait lancé ce pétard pas drôle ? Se pouvait-il que des gardiens agissent ainsi ?

Qu'aurait-il à leur raconter pour justifier sa présence dans le secteur ?

« J'effectue un stage de survie pour me désennuyer. Formidable, non ? »

Autant fermer sa gueule. Ou alors : « Je suis ici par hasard. C'est mon ami Wild qui m'a déposé, et je me suis un peu égaré. Vous connaissez Jean ? »

« Tais-toi, Hubert. Si on t'attrape, tu la boucleras. Et d'abord, personne ne te coincera. Il ne faut pas baisser les bras si vite. Souviens-toi de ce que tu enseignes aux cadres : "Vous êtes des leaders, comportez-vous en leaders." Jean Wild ne serait pas fier de son élève s'il le voyait abdiquer dès la première difficulté. Debout et bats-toi, mon grand. »

C'est ce qu'il fit.

La noirceur reprenant ses droits, il continua le trajet qu'il s'était fixé. Arrivé face à la grue, il descendit les trois conteneurs et se retrouva dans une large allée similaire à la précédente. Il ne s'accorda aucun répit et entreprit l'ascension de la rangée suivante. L'expérience aidant, il parvint au sommet sans freiner son ardeur, sans titiller son vertige, sans trop réfléchir.

La survie englobait sans doute ce principe d'action dénué de préméditation. Les réflexes doivent agir. Ils sauvent l'individu affamé ou en danger. Pris dans une avalanche, le skieur leva d'instinct sa tête vers le ciel pour ne pas chercher son salut vers le centre de la terre. Ça se travaille. « Je suis en train de cultiver ma longévité », s'automotiva Hubert.

Justement.

Vous faites quoi lorsque vous parvenez sur le toit

d'un conteneur qu'un petit malin a recouvert d'huile de vidange ? Glissade obligatoire.

Impossible de se lever, au risque de perdre l'équilibre et la vie qui s'y rattache. Hubert rampa donc, finissant de massacrer ses habits. Il traversa la distance en effectuant une sorte de nage désynchronisée, totalement ridicule.

— Le premier paparazzi qui prend une photo, je le refroidis, menaça-t-il à haute voix.

Il crut entendre un rire étouffé en bas, mais ça pouvait tout aussi bien provenir de la boucle de sa ceinture qui raclait le gras trisynthétique.

Cette saleté n'avait pas été répandue là par hasard. On cherchait à le pousser à bout. On testait son sang-froid.

Jusqu'où saurait-il tenir ?

Il pivota et redescendit son deuxième alignement de caisses géantes. Encore deux franchissements semblables et il serait en mesure de passer à un autre type d'épreuve.

Hubert opéra avec précaution, manquant à chaque mouvement de riper, s'agrippant de peine et de misère avec ses doigts poisseux.

Puis il l'entendit.

Le son commença faiblement, grossit vite, devint évident, s'enfla. Un chien aboyait à tout rompre en courant dans sa direction. S'il arrivait avant qu'Hubert ait eu le temps de traverser l'espace séparant les deux rangées de conteneurs, le survivant ne pourrait plus se défaire du molosse.

Urgence.

Dans le noir, impossible d'évaluer la distance qui restait au chien à parcourir. Le son résonnait entre les deux parois, s'amplifiait démesurément.

Hubert laissa agir ses réflexes innés. Il sauta par terre et courut de l'autre côté. Ses semelles pleines d'huile patinèrent. Il arracha ses souliers et fonça.

La bête de garde ne se trouvait plus qu'à cinq ou six mètres. On aurait dit un fauve affamé qui vient de sentir un chevreau attaché à un piquet. Il avait décidé de le bouffer tout cru.

Hubert bondit sur le premier échelon, puis sur le suivant, et ainsi de suite jusqu'en haut, sans ralentir. Les claquements de dents du cabot effaçaient la douleur de ses pieds nus. Il parvint sur le toit en un temps record et demeura sur le dos, sans souffle. La frousse et l'exercice avaient pompé la dernière molécule d'oxygène de son sang.

Reprenant peu à peu le contrôle de la situation, il sentit la soif le tenailler. À cet instant précis, une bouteille de boisson énergétique au ginseng ou un jus de goyave même sans vitamines additionnées auraient été du plus grand secours.

Il aurait bu avec joie l'eau de pluie accumulée dans un trou.

Il se releva. Son but semblait à portée de main, mais que lui avait-on réservé cette fois-ci ? Il n'avait pas envie de jouer à la guerre, ni aux gendarmes et aux voleurs ; juste d'apprendre à mourir moins vite.

Le raisonnement de Wild tenait la route : Hubert risquait mille fois plus de perdre la vie dans son milieu naturel que dans une hypothétique jungle où il ne mettrait jamais les pieds sans protection rapprochée.

N'empêche, il aurait préféré qu'on l'informe à l'avance, qu'on lui donne le choix : course d'obstacles dans une zone de fret ou combat de rue chez les Hell's ? Il se serait préparé mentalement.

Quand même, il avait failli plusieurs fois se rompre le cou, se faire grignoter par un représentant de la famille *pitbull*. La prochaine fois, on lui tirerait dessus avec des balles réelles?

— Jean Wild, dès que je sors de là, je massacre ta sale figure de profiteur.

Lorsqu'un employé est abusé par son supérieur hiérarchique, il se rebelle, mais une voix intérieure lui rappelle qu'il n'a eu que ce qu'il méritait, que sa place est parmi les subordonnés, qu'il devrait la boucler et rejoindre le rang. Quand cet employé se fait rabrouer par son équivalent, son voisin de bureau, sa colère explose sans retenue. Il ne supporte pas que ce collègue le ridiculise. Et si un individu inférieur dans la hiérarchie s'attaque à lui, alors aucune loi ne pourra l'empêcher de rendre au centuple ce qu'il a reçu. Ainsi s'organise la vie entre les dominants et les dominés.

Hubert se sentait dans le troisième cas. Un trou du cul tentait de le manipuler et, pire, y parvenait. Ce gars-là jouait avec le feu.

— Jean Wild, tu vas t'en prendre une dont tu te souviendras pendant des millénaires.

La rage est source d'énergie. Elle motive. Elle redresse l'échine du malheureux. Elle est source de vie.

Et de mort aussi.

Hubert scruta la nuit à la recherche d'un quelconque signe de vie. De l'autre côté, le chien de garde s'était lassé de japper dans le vide. Ferait-il le tour pour l'attendre de ce bord-ci? Non, mais une nouvelle surprise attendrait-elle notre *Survivor* en rogne?

Hubert sentit alors une sorte de frôlement sur sa joue.

Il plongea au sol, ses mains lui protégeant le crâne, en hurlant :

— ARRÊTEZ ! ARRÊTEZ !

On entendit soudain un léger floc, suivi de dizaines d'autres. Il pleuvait ! Le contact d'une simple goutte d'eau avait terrorisé Hubert.

Il ne réagit pas, se laissa inonder par cette averse. Wild ne pouvait quand même pas commander les éléments. Provoquer la colère, oui. Provoquer la pluie, impossible.

La lumière dans la grue avait grossi, elle tanguait sous l'averse.

Il fallait conclure.

Hubert dégringola les trois conteneurs, traversa l'allée au pas de course, monta en face, traversa le toit (le quatrième et, espérait-il, le dernier), redescendit aussi vite que possible. Trempé des cheveux aux orteils, haletant, les paumes écorchées à vif, les jambes moulues, les bras amorphes, il marcha vers la lueur, tel un hanneton attiré par un phare de voiture.

Le découragement le gagnait. Qu'importe ! Il devait atteindre le but qu'il s'était fixé, question de fierté.

La pluie redoubla d'intensité. Il y voyait à peine.

Il se traîna jusqu'aux immenses roues qui permettaient de déplacer la machine de levage. Un éclat orange l'attira. Un sac en plastique était suspendu à une barre d'acier.

Il dut tirer fort pour le décrocher. Ça semblait fixé avec un gros élastique. Quand il réussit à le prendre, il crut entendre un léger déclic. Encore une hallucination auditive.

Il ouvrit le sac, vit un papier couvert d'écriture, le souleva et demeura bouche bée en découvrant ce qu'il dissimulait.

La grenade lui explosa en pleine face, déchiqueta tout sur son passage en lui interdisant de jouir de ce fameux instant où l'on revit son existence en accéléré. Des morceaux de ce qu'il était deux secondes plus tôt se dispersèrent en tous sens. Un bout de sa mâchoire atterrit sur la feuille où il aurait pu lire :

Bravo, mon grand! Je ne pensais pas que tu irais si loin. Mais à quoi bon survivre plus longtemps sans ta belle auto, ton bel appartement et ta charmante fille ? Adieu. Jean Wild.

Et votre mari?

— Et votre mari, il fait quoi ?

— Il est écrivain.

Maria avait répondu avec un large sourire à la grande brune qui s'occupait de la caisse à la kermesse de l'association. Maria participait à l'activité pour la première fois. Elle savait que c'était la meilleure façon de s'intégrer à une nouvelle ville, à une nouvelle vie, à des inconnues. L'habitude nous apprend.

— Il écrit quoi ?

— Des livres.

Cette fois, la question était sortie de la bouche charnue de la petite boulotte qui avait pris en charge la coupe des parts de gâteau. Chacune des participantes en avait cuisiné un. Far breton, baba au rhum, tarte aux mirabelles, clafoutis aux cerises, flan, meringue, millefeuille : il y avait autant de choix que de bénévoles. Maria avait préparé un marbré au caramel, une recette dénichée *in extremis* dans un vieux *Elle*. On juge la valeur de l'épouse à ses dons culinaires. Bonne cuisinière, bonne ménagère. La critique muette des regards connaisseurs lui avait accordé le bénéfice du doute. Seule la dégustation permettrait l'octroi de la note de passage. La première fois, on n'obtient jamais de mention.

181

Les femmes se tournèrent vers Maria. Pourquoi répondait-elle ainsi ? Avait-elle honte des écrits de son homme ? Un écrivain, ce n'est pas si courant. Peut-être était-il connu ? Il serait déjà passé à la télévision ? Préférait-elle cacher sa véritable identité ?

— Quel genre de livres ? Des romans ? De la poésie ? insista celle qui semblait la plus âgée du groupe.

— Ou des catalogues de vente par correspondance ? enchaîna une jeune fausse blonde avec le visage couvert d'acné.

La réplique fit s'esclaffer les copines. Elles devaient tuer le temps, à cette heure-ci. Elles étaient arrivées tôt pour avoir le meilleur emplacement près du stationnement. Mais le gros des clients éventuels ne se pointerait pas avant une heure ou deux. Autant tuer le temps de façon agréable. Maria rit aussi. Ça faisait partie des conventions. Ne pas les laisser s'imaginer qu'elle se croyait supérieure aux autres. Elle enchaîna.

— Il écrit des romans, je crois.

— Vous ne les avez pas lus ?

Cette fois, les amies cessèrent de plaisanter. On entamait maintenant une conversation sérieuse, un sujet de fond. Cette Maria paraissait sympathique, et voilà qu'elle devenait saugrenue. Les originales dans son genre, on ne s'en méfiait jamais trop. Comment pouvait-on ne pas lire les écrits de son propre mari ? Autant tenter d'imaginer Suzanne, la femme du charcutier, qui ne goûterait jamais aux terrines de son mari. Son tour de taille prouvait largement le contraire. Elle s'intéressait de très près aux productions de son époux. Elle connaissait par cœur ses pâtés de foie, ses rillettes et son magnifique fromage de tête. Sans mentir, le meilleur en ville, en parfaite objectivité. C'est qu'elle en avait goûté des dizaines de sortes dans sa vie, mais celui de Raoul gardait la palme, haut la main. Alors que fabriquait Maria avec les bouquins de son mari? Elle les utilisait pour allumer le feu dans la cheminée ou pour caler le pied des tables bancales?

— Il écrit dans une langue que je ne comprends pas, expliqua Maria sur un ton d'évidence.

— Quelle langue?

Bien sûr, Maria avait cet indéfinissable accent, à peine perceptible au début. Puis on remarquait sa drôle de prononciation quand elle nasillait les «é» et les «è» avec la même intonation. L'aigu demeurait grave dans sa bouche. C'est comme Rosine, elle avait beau être née ici, avoir grandi ici, elle gardait son influence paternelle très marquée, quoi qu'elle raconte. Une deuxième génération d'immigrés, ça ne suffit pas pour effacer ses origines. Cette Maria, elle venait d'où? Et son mari, il s'exprimait dans quel dialecte?

— Je n'en sais rien. Je ne l'entends pas la parler. Il l'écrit, c'est tout.

— Franchement!

À croire que Maria se jouait d'elles. Elle ne semblait pourtant pas plus stupide que ses nouvelles amies. Plutôt moins que certaines. Parce que, on a beau dire, Rosine n'avait pas inventé l'eau chaude. Encore moins l'eau tiède. Au moins, Maria s'exprimait de manière correcte. Justement, voilà qui augmentait la surprise. Ses paroles étaient dénuées de bon sens. La plus ancienne du groupe avait répliqué avec verdeur à Maria. Il ne faut pas se moquer des gens. On n'a pas été à la faculté, mais ça ne fait pas de nous des demeurées pour autant. Dans une vie normale, on s'intéresse à son mari. Oui, il a le droit d'avoir son jardin secret, ses amis de rugby ou de pêche, on respecte ça, mais une vraie compagne finit par découvrir la vérité. L'instinct féminin prédomine. Cette étrangère semblait donc n'avoir aucune curiosité vis-à-vis de son écrivain. Impensable, incongru, incohérent. Impossible, oui.

— Vous ne me croyez pas, je le vois. Vous n'êtes pas les seules. Pourtant, c'est la stricte vérité. Je ne connais pas la langue qu'il utilise pour écrire. Ce sont des signes différents de notre alphabet. Ça pourrait être du russe, ou de l'inuktitut. Voire de l'hébreu. Allez savoir.

— Il n'y a qu'à lui demander !

Bon sang de bois, cette Maria n'adressait donc jamais la parole à son homme ? Un couple s'approcha pour choisir deux parts de gâteau. L'homme hésitait, alors sa femme lui conseilla le flan, vu qu'il adorait ça. En voilà une qui connaissait son époux, au moins. Pas dans le genre de Maria. Comment les gens font-ils pour évoluer dans le quotidien ? Doit-on tout leur mâcher pour qu'ils parviennent à fonctionner ? On s'étonne ensuite que des préadolescents fuguent ou se suicident, mais imaginez leur vie avec des parents incapables de se prendre en main. Les pauvres choux.

— Avez-vous des enfants, Maria ?

— Non, pourquoi ?

Dieu soit loué, elle ne s'est pas reproduite. Car ensuite, c'est à la société de s'occuper des rejetons. La communauté doit réparer les pots cassés. Il faut comprendre, pardonner, patienter, payer. Agir en bons chrétiens, encore et encore. Sortir du pétrin ceux qui abusent. À quoi ressemblerait sa progéniture, d'abord ? Difficile à imaginer. Il faut s'y prendre à deux pour concevoir des gamins. Et l'écrivain bizarre, on ne l'a jamais vu. Vivent-ils ensemble ? Maria a pu inventer de A à Z cette histoire de livres en hiéroglyphes. Personne n'ira chez elle pour fouiller les placards à la recherche des œuvres illisibles de son soi-disant mari.

— Votre mari, là, l'écrivain… il vous parle en quelle langue ?

— En français, bien sûr.

La charcutière, elle a du mal à accepter cette affaire d'incompréhension. S'il fallait que les clients doivent utiliser un dictionnaire chaque fois que Raoul inscrivait les plats du jour sur l'ardoise de la boutique, ce serait une catastrophe pour le commerce. Les gens veulent savoir ce qu'ils mangent, et c'est la moindre des choses. Sans parler des musulmans qui n'ont pas le droit au porc dans leur alimentation, on a chacun ses goûts. Si on ne peut plus avoir le plaisir de la bouffe dans la vie, autant se suicider. Et puis, il y a de plus en plus de cas d'allergies. Il vaut mieux avertir de ce qu'on met dans les ramequins, sinon on se retrouve en prison pour empoisonnement. Ça s'est déjà vu. D'ailleurs, cette Maria, elle a plutôt une tête de végétarienne. Ça se voit à sa peau. Elle n'a pas l'air en santé.

— Et ses livres, il les vend ? Enfin, je veux dire, assez pour en vivre ?

— Oui. Il n'arrête pas. Écrire, c'est son métier.

Évelyne, l'intello du groupe, a fini par intervenir. Les livres, elle adore ça. Ses bibliothèques débordent. Ce serait agréable de partager cette passion avec Maria. Ça changerait des éternelles discussions autour des émissions de télévision, des ragots concernant l'une ou l'autre, des banalités sur la météo ou la grippe qui est particulièrement virulente cette année. Fréquenter le quotidien d'un écrivain, ça doit être exaltant. Assister à ses doutes, ses trouvailles, ses accouchements. Ah oui... Pourtant, Maria semble détachée de cela. Son romancier, elle en parle comme d'un vulgaire fonctionnaire du ministère des Finances. On a la nette impression qu'elle s'en fiche. Évelyne est peinée de le découvrir. Elle tente encore de se rapprocher de Maria.

— Le marbré, c'est votre spécialité ?

— Le ? Ah oui. Pour être franche, c'est ma seule spécialité sucrée. Je ne suis pas très dessert.

Tiens ! Madame préfère le salé. Si elle agit ainsi pour surveiller sa ligne, c'est raté. Parce que la bouée autour de ses hanches, on la distingue, même dissimulée sous son ample chemisier noir. Elle nous prend pour qui, cette Maria ? Des retardées de la campagne profonde ? Soit, on n'habite pas la capitale, mais ce n'est pas non plus le bout du monde ici. On a une qualité de vie que beaucoup nous envient. D'ailleurs, elle n'est pas venue s'installer chez nous par hasard. Le grand air favorise l'inspiration, paraît-il.

Quelques autos commencent à se stationner. Le nombre de clients du samedi matin grossissait. La bonne odeur des gâteaux encore tièdes et les faces réjouies des femmes sont doublement vendeuses. Et puis, tout le monde se connaît dans le coin. Il faut s'entraider. Ce qui est très agréable en dégustant une pâtisserie maison.

— C'est quoi, son nom d'écrivain ?

— Vous ne le connaissez pas.

Rosine a profité de l'animation soudaine pour poser sa question à voix basse. Non pas qu'elle soit férue de littérature, loin de là, mais elle souhaite jaser un brin, montrer qu'elle aussi s'intéresse à la nouvelle bénévole. Et cette réponse ! On dirait que Maria ne veut pas qu'on s'occupe d'elle. Depuis son arrivée, elle tourne autour du pot, esquive, louvoie. Une véritable anguille, cette personne. Rosine n'insiste pas. La grosse Madeleine saisit une part de marbré, l'engouffre en deux bouchées et, tout en mâchant, en crachant des morceaux de chocolat, elle attaque vertement Maria.

— Moi, je ne te crois pas. Tu racontes n'importe quoi pour te rendre intéressante. Mais tu t'es trompée de public, ma mignonne. Ce n'est pas le club des niaises ici, c'est l'Amicale des amies de la paroisse Saint-Gilles. Ok ? Alors, moi, je ne vais pas prendre des gants blancs comme ces dames ici présentes. Soit tu racontes la vérité sur ton mari, soit tu disparais. Vu ?

— Vu.

La tension vient tout à coup de passer au niveau rouge, danger extrême. Aucune des femmes n'ose répliquer. On connaît trop les colères noires de Mado pour s'interposer. Elle a raison, la grosse. Maria les prend pour des connes, appelons les choses par leur nom.

— Et tu pourras emporter ton marbré avec toi, il est infect.

— ...

Maria tente de demeurer impassible. Cette Madeleine a de l'aplomb. Chapeau ! L'attaque fut subite, imprévisible, efficace. Les autres avaient l'air de pouvoir être amadouées. L'affaire paraissait dans la poche et soudain, il faut s'ajuster si on ne veut pas perdre le maigre capital de confiance accumulé. Heureusement qu'elle a plus d'une corde à son arc. La dialectique n'effarouche pas la jeune Maria. Elle a grandi dedans, pourrait-on comprendre.

— Je ne vous ai pas menti. Disons que j'ai un peu enjolivé la réalité.

— Ah !

Madeleine jubile. Elle sentait que cette Maria n'était pas franche du collier. Plutôt le genre serpent. Elle va le cracher, son venin, oui ou non ? Parce que si les amies espèrent continuer les activités paroissiales avec une femme qui cuisine aussi mal, elles risquent de se heurter à un mur plus vite que prévu. Trêve de plaisanterie, il faut conclure.

— Accouche, Maria !

— Mon mari écrit des livres dans une langue étrangère, c'est vrai. Et je ne les ai jamais lus, c'est aussi la vérité. Parce qu'il écrit des histoires un peu… cochonnes. Vous voyez ce que je veux dire. Des intrigues érotico-pornos que je n'ai pas le goût de découvrir. Vous pouvez comprendre ça, non ? Oui je sais la langue qu'il utilise, mais je n'ai pas envie de me reconnaître dans une de ses héroïnes qui demande qu'on la fouette en gémissant de plaisir. Nous avons une vie de couple paisible avec des relations sexuelles normales. Ses romans semblent se vendre tels des petits pains dans les pays de la nouvelle Europe : Ukraine, Estonie, Lettonie et autres. Tant mieux, ma curiosité s'arrête là. Voilà la vérité. Vous me croyez, maintenant ?

Les joues ont rougi. Une certaine excitation est apparue. Son époux rédige des aventures sexuelles, imaginez cela. Ouh là là ! Voilà qu'on s'éloigne du banal. Elle est plutôt sympathique, cette Maria. Il faut gagner sa croûte, hein ? Le mec de Rosine est croquemort et ça n'est pas un monstre pour autant. Bon, les sourires reviennent sur les visages. On a craint le pire un court instant. Madeleine a le don de mettre les pieds dans le plat, c'est certain. Elle ne fait pas dans la dentelle, la grosse. Ce n'est pas son genre.

— Des livres de cul ? Pourquoi pas. Mais ça n'excuse pas ton marbré, ma chère.

— Je sais.

Et voilà, la rude Madeleine vient de tomber dans sa poche. Maria esquisse un sourire. Cette salope a réagi comme prévu. Comment demeurer insensible face à une femme qui semble nier la profession de son mari ? Et puis, après toutes ces tergiversations, comment résister à cette fragile Maria qui n'osait pas avouer la véritable source de revenus de son époux ? Une occupation si louable, à peine marginale... Il faut que quelqu'un les écrive, ces bouquins. On en a déjà lu.

Elle ne doit pas s'ennuyer, avec un homme plein d'imagination.

Maria sait que, dès cet instant, elle a gagné. Les femmes vont la prendre sous leur aile, la protéger, l'aider. On ne lui posera plus de questions, on ira jusqu'à l'envier. Tranquillement, le vernis social aura le temps de durcir.

Son mari pourra faire oublier cette grossière histoire de fraude. On sélectionnera alors la meilleure proie : riche et vulnérable.

Bien à l'abri dans ce coin de campagnards, ils plumeront tranquillement l'oie la plus grasse. Une de ces femmes qui voudra suggérer quelque inspiration au mari écrivain. Encore une qu'on dépouillera. Une de plus à leur tableau de chasse.

Le dernier gars

Ça faisait maintenant deux jours que j'errais dans Montréal. Quarante-huit heures à foncer dans les rues avec toutes sortes de véhicules empruntés, à louvoyer entre les cadavres, à paniquer au moindre aboiement de chien enragé. Il fallait que je me rende à l'évidence : j'étais désormais seul sur cette foutue planète.

Quand j'ai émergé de mon long coma éthylique, il m'a fallu une éternité pour parvenir à me souvenir de vagues bribes de la soirée. J'avais visiblement dormi trente heures — mon record à ce jour. Des litres d'alcool pour noyer une semaine de bureau et voilà le résultat.

J'ai tourné au hasard dans la ville, tentant de rencontrer femme qui vive. Ça commençait à renifler le faisandé partout où je me pointais. Je me pensais perdu, sans but, sans dessein. Soudain, j'ai senti une immense libération en moi. Je n'ai pas tout de suite compris ce qui se produisait. J'aurais dû être angoissé, me demander pourquoi j'avais été choisi pour jouer au miraculé. Pourquoi les habitants de la Terre avaient profité de mon sommeil trop profond pour participer à cet autogénocide.

Étais-je le nouveau messie ? À quoi bon : il n'y avait plus aucun damné à sauver, zéro Indien à convertir, pas un seul terroriste à ramener à la raison.

Alors pourquoi cette soudaine sensation de béatitude ?

Aucune pression, plus de stress. J'étais enfin débarrassé de tout ce fardeau bien pensant qui m'empêchait de jouir en paix depuis ma première communion. Adieu les curés, les politiquement corrects, les œuvres bénévoles, le respect hypocrite et les convenances. Je n'avais plus de comptes à rendre à personne. J'allais pouvoir me lâcher comme jamais je n'avais osé.

En route pour les fantasmes coriaces.

Je suis monté dans le gros Hummer jaune canari stationné rue Saint-Paul. Les clés étaient dans la cabine du gardien du stationnement, bien en évidence. Le pauvre gars avait déjà été à moitié bouffé par les rats. Un trépas à l'image de sa misérable existence : sordide et étriqué.

Le monstre polluant a bondi. Les trois cent seize chevaux ont fait décoller les trois tonnes de ferraille. J'ai écrapouti une New Beetle, la transformant en modèle réduit pour morveux de banlieue. Je déteste ce type de bagnole conduite par des filles contrôlantes. Le genre qui te réexplique chaque matin pourquoi il faut manger tes fruits avant tes œufs.

J'ai foncé au centre-ville pour exploser la vitrine de La vie en rose. Les mannequins en tenue olé olé ont giclé dans tous les sens. J'ai toujours eu envie de connaître la sensation de se balader en étant fringué en putain. J'aurais agi ainsi avant la catastrophe et on m'aurait pris pour un dangereux déviant. On m'aurait gentiment souri, condescendance de merde, jugement muet, judéo-christianisme castrateur.

J'ai enfilé un soutien-gorge 36D en dentelle violette par-dessus mon t-shirt à l'effigie des Chiefs de Laval. La classe, *man*. J'ai mis un string hyper moule-boules et j'ai conclu en me barbouillant les lèvres d'un rouge carmin épatant. Je me suis aussi aspergé de parfum, car l'odeur doit être aussi sexy que l'allure.

Je suis remonté au volant du 4 x 4 éjaculateur de CO_2. Le V8 a vrombi. Même à Kyoto, ils étaient tous morts, alors.

Maintenant, il me fallait une arme. Un gros *gun* à faire rougir d'envie Charlton Heston. J'ai déniché une armurerie dans les Pages Jaunes d'une boutique d'électronique, où j'ai réquisitionné une cargaison de piles, une grosse radio et des disques. Le son à fond.

Chez l'armurier, je me suis équipé d'un Uzi et d'un Beretta M12, histoire de comparer ces deux merveilles. J'ai aussi agrippé un 44 Magnum, le revolver douze coups dont je rêvais déjà avant de naître. J'ai jeté une arbalète, des boîtes de munitions et un paquet de grenades dans un sac qui a rejoint la caisse de vingt-quatre sur le siège du Hummer.

Après, je me suis baladé au hasard, tirant sur les chats errants, les landaus abandonnés, les métrosexuels décomposés. Primaire, stupide, donc jouissif.

Enfin, je me sentais un vrai gars, la testostérone distillée à grosse dose. Sans limite, sans morale, sans maman, sans mauvaise conscience collective, sans mensonge publicitaire. J'étais moi pour la première fois. Pas celui qu'on me recommandait fortement d'être.

Ça m'a épuisé, cette promenade.

J'ai improvisé un barbecue en face du Commensal de l'avenue du Mont-Royal. Je me suis envoyé deux énormes côtes de bœuf, flambées au cognac trente-cinq ans d'âge. De la nourriture d'homme. Les prochaines viandes, j'allais les abattre à la campagne. Le premier veau de grain venu viendrait à moi en meuglant de joie pour que je le zigouille à bout portant.

Je laissais tourner le moteur du Hummer même à l'arrêt. Je pétais, je rotais.

Joie virile.

La sono crachait un mélange de Dalida et de Deep Purple. Méchant bon stock ! J'aurais écouté ça du vivant des autres, je me serais fait traiter de fifi ou de *has been*. Et alors ? J'ai le droit d'aimer les extrêmes. Fini la frustration et les étiquettes trop collantes. J'étais devenu le nouveau prototype du macho qui assume ses goûts vulgaires.

J'ai sabré une bouteille de Dom Pérignon 1993 et lâché une rafale sur la vitrine du restaurant bio. Eh ! leur végétarisme ne les avait pas empêchés de crever comme tout le monde ! Moi, c'est l'alcool qui m'avait sauvé la vie.

Comment j'avais atterri dans cette chambre à Westmount ? Aucune idée. Qui était la fille morte sur le lit au-dessus de moi ? Jamais vue avant. Ivre sous le lit de cette inconnue, sans manger ni boire pendant trente heures, j'étais passé au travers du nuage toxique, du virus assassin ou du tsunami cardiaque qui avait ôté la vie à cette armée de donneurs de leçons. De quoi ils étaient décédés, je ne le saurais pas et je m'en contrefichais.

Moi d'abord.

À ce stade, il y avait maintenant l'intense plaisir de conduire bourré en percutant tout ce qui se présentait.

— Ça manque de femmes, ai-je gueulé par la fenêtre baissée.

Ouais, c'était bien beau de laisser enfin libre cours à ces pulsions masculines, mais l'absence de chair fraîche gâchait un peu mon plaisir. Il me restait les substituts habituels : sex-shops en libre service.

Je suis rentré chez Adult pour effectuer une razzia de vidéos hard, pour trouver des godemichés sophistiqués et une poupée gonflable *made in Bulgaria* cent pour cent latex avec anus vibrant. Quand je pense que j'avais passé trente-deux ans à côté de ça. Il avait fallu ce cataclysme pour m'ouvrir les yeux et me permettre de rattraper le temps perdu.

Je suis ressorti en sifflotant.

Et je l'ai vue traverser la rue Sainte-Catherine. Une longue chevelure blonde, une poitrine à la hauteur de mes espoirs adolescents, des cuisses interminables. Une créature de rêve rien que pour moi ! Mon cœur a battu comme un fou. Mes jambes se sont transformées en coton. Je lui ai couru après en criant d'allégresse.

Elle s'est immobilisée et m'a attendu. Son regard ne me disait rien qui vaille. J'avais encore mes sous-vêtements féminins, mon Uzi dans une main, mon DVD de *Queue de béton* dans l'autre, du rouge à lèvres jusqu'aux oreilles, plus un hoquet d'ivrogne. Je m'en foutais. Mon sperme immortel allait repeupler l'univers. Et si cette pouffiasse me la jouait snob, j'étais bien décidé à la descendre et à abuser de son cadavre.

Elle a souri et m'a demandé comment je m'appelais.

Le timbre de sa voix m'a fait débander aussi sec. J'ai compris que je n'étais plus le seul gars sur cette planète.

Table des matières

Parus à la courte échelle :

Valérie Banville
Canons

Patrick Bouvier
Des nouvelles de la ville

Chrystine Brouillet
Le Collectionneur
C'est pour mieux t'aimer,
* mon enfant*
Les fiancées de l'enfer
Soins intensifs
Indésirables
Sans pardon

Marie-Danielle Croteau
Le grand détour

Hélène Desjardins
Suspects
Le dernier roman

Sylvie Desrosiers
Voyage à Lointainville
Retour à Lointainville

Annie Dufour
Les enfants de Doodletown

Andrée Laberge
Les oiseaux de verre
L'aguayo

Anne Legault
Détail de la mort

Jean Lemieux
La lune rouge
La marche du Fou
On finit toujours par payer

Nathalie Loignon
La corde à danser

André Marois
Accidents de parcours
Les effets sont secondaires

Judith Messier
Dernier souffle à Boston

Sylvain Meunier
Lovelie D'Haïti
Le temps des déchirures
La saison des trahisons

André Noël
Le seigneur des rutabagas

Stanley Péan
Zombi Blues
Le tumulte de mon sang

Maryse Pelletier
L'odeur des pivoines
La duchesse des Bois-Francs

Raymond Plante
Projections privées
Le nomade
Novembre, la nuit
Baisers voyous
Les veilleuses

Jacques Savoie
Le cirque bleu
Les ruelles de Caresso
Un train de glace

Alain Ulysse Tremblay
Ma paye contre une meilleure
* idée que la mienne*
La langue de Stanley dans
* le vinaigre*

Récits :

Sylvie Desrosiers
Le jeu de l'oie. Petite histoire vraie d'un cancer

Guide pratique :

Yves Bernard et Nathalie Fredette
Guide des musiques du monde. Une sélection de 100 CD

Format de poche :

Chrystine Brouillet
Le Collectionneur
C'est pour mieux t'aimer, mon enfant
Les fiancées de l'enfer
Soins intensifs

Achevé d'imprimer en mai 2006
sur les presses de l'imprimerie Gauvin,
Gatineau, Québec